# PSICOPATOLOGIA E PSICODINÂMICA NA ANÁLISE PSICODRAMÁTICA

## VOLUME VIII

CIP-BRASIL. CATALOGAÇÃO NA PUBLICAÇÃO
SINDICATO NACIONAL DOS EDITORES DE LIVROS, RJ

P969
v. 8

Psicopatologia e psicodinâmica na análise psicodramática : volume 8 / Victor Roberto Ciacco da Silva Dias ... [et al.]. - 1. ed. - São Paulo : Ágora, 2021.
184 p. : il.

Inclui bibliografia
ISBN 978-85-7183-280-0

1. Psicopatologia. 2. Psicanálise. 3. Psiquiatria. 4. Psicodrama. I. Dias, Victor Roberto Ciacco da Silva. II. Série.

21-70678 CDD: 616.89
CDU: 616.89

Camila Donis Hartmann - Bibliotecária - CRB-7/6472

www.editoraagora.com.br

Compre em lugar de fotocopiar.
Cada real que você dá por um livro recompensa seus autores
e os convida a produzir mais sobre o tema;
incentiva seus editores a encomendar, traduzir e publicar
outras obras sobre o assunto;
e paga aos livreiros por estocar e levar até você livros
para a sua informação e o seu entretenimento.
Cada real que você dá pela fotocópia não autorizada de um livro
financia o crime
e ajuda a matar a produção intelectual de seu país.

VICTOR ROBERTO CIACCO DA SILVA DIAS
E COLABORADORES

PSICOPATOLOGIA E PSICODINÂMICA
NA ANÁLISE PSICODRAMÁTICA

VOLUME VIII

PSICOPATOLOGIA E PSICODINÂMICA NA ANÁLISE PSICODRAMÁTICA
Volume VIII
Copyright © 2021 by autores
Direitos desta edição reservados por Summus Editorial

Editora executiva: **Soraia Bini Cury**
Assistente editorial: **Michelle Campos**
Capa: **Daniel Rampazzo/Casa de Ideias**
Produção editorial: **Crayon Editorial**

**Editora Ágora**
Departamento editorial
Rua Itapicuru, 613 – 7º andar
05006-000 – São Paulo – SP
Fone: (11) 3872-3322
http://www.editoraagora.com.br
e-mail: agora@editoraagora.com.br

Atendimento ao consumidor
Summus Editorial
Fone: (11) 3865-9890

Vendas por atacado
Fone: (11) 3873-8638
e-mail: vendas@summus.com.br

Impresso no Brasil

# *Sumário*

Apresentação, 7

1. A psicodinâmica dos distúrbios funcionais na criança e no adulto, 9
   *Victor R. C. S. Dias*

2. Os distúrbios funcionais na psicoterapia infantil, 21
   *Milene Shimabuko Silva Berto e Katia Pareja*

3. A patologia e o manejo dos sentimentos na psicoterapia, 37
   *Virgínia de Araújo Silva*

4. A psicoterapia com dependentes químicos, 79
   *Victor R. C. S. Dias*

5. A técnica do espelho aplicada a clientes psicóticos, 93
   *Cecília Attux*

6. As condutas e os procedimentos gerais para o início da psicoterapia, 103
   *Elza Medeiros Carneiro da Silva*

7. A relação oral com o mundo e seus desdobramentos, 139
   *Victor R. C. S. Dias*

8. A utilização da técnica do espelho no desmonte das defesas intrapsíquicas, 147
   *Victor R. C. S. Dias*

9. A reformulação psicológica do pré-natal e a prevenção da depressão pós-parto, 171
   *Victor R. C. S. Dias*

REFERÊNCIAS BIBLIOGRÁFICAS, 179

*Apresentação*

Caro leitor,
Neste volume VIII da coleção Psicopatologia e Psicodinâmica na Análise Psicodramática, escrito por mim e alguns colaboradores, apresentaremos temas novos e agruparemos outros que foram publicados parcialmente em diversos livros, o que, em virtude disso, tornou o assunto fragmentado.

No Capítulo 1, apresento uma formulação inédita a respeito do distúrbio funcional em adultos e crianças. Nestas, ele aparece como uma reação possível e saudável diante dos estímulos externos, enquanto, no adulto, surge em decorrência de psicodinâmicas já arraigadas que impedem as respostas psicológicas adequadas.

No segundo capítulo, Milene Shimabuko Silva Berto e Katia Pareja explicam e exemplificam como o distúrbio funcional, nessa nova formulação, tem sido trabalhado na psicoterapia infantil e na orientação dos pais.

No Capítulo 3, Virgínia de Araújo Silva agrupa e desenvolve os temas ligados à patologia dos sentimentos.

No quarto capítulo, trago uma nova concepção para a postura do terapeuta na psicoterapia com dependentes químicos e na orientação dos familiares.

No Capítulo 5, Cecília Attux teoriza e relata sua experiência com a utilização das técnicas do espelho com pacientes psicóticos e esquizofrênicos.

No Capítulo 6, Elza Maria Medeiros Carneiro da Silva trata de forma sistematizada as condutas e os procedimentos para o início de um processo de psicoterapia, levando em conta a análise psicodramática e trazendo também tópicos inéditos.

No sétimo capítulo, discuto a atual relação oral com o mundo – a espera de receber tudo pronto, sem a demanda do mínimo esforço – e seus desdobramentos, principalmente o fato de isso desestimular o indivíduo a pensar.

No Capítulo 8, abordo as técnicas do espelho utilizadas no desmonte das defesas intrapsíquicas e esquizoides.

Por fim, no Capítulo 9, apresento uma nova ideia sobre a reformulação das condutas psicológicas que devem ser utilizadas durante o período pré-natal para a prevenção da depressão pós-parto, tanto da mulher (que eclode no nascimento e no pós-parto) quanto do homem (que ocorre mais ou menos quando a criança completa 1 ano de idade e começa a interagir mais fortemente com o entorno).

Agradeço a todos os que colaboraram com este livro e à minha secretária, Karla, pela dedicação, paciência e por ter me auxiliado na digitação deste texto.

Uma boa leitura a todos!

**Victor**

# 1. A psicodinâmica dos distúrbios funcionais na criança e no adulto

*Victor R. C. S. Dias*

Este capítulo é uma ampliação e uma modificação conceitual do *distúrbio funcional*, descrito pela primeira vez no volume I desta coleção.

*O distúrbio funcional é a utilização do papel psicossomático no lugar do modelo psicológico, e com a função que deveria ser exercida por este.* Fica definido como mecanismo de defesa do psiquismo, pois satisfaz a seguinte premissa: mecanismo de defesa é todo e qualquer procedimento estruturado para evitar o contato com o material eliminado tanto da primeira como da segunda zona de exclusão.

Com a evolução e o amadurecimento das nossas observações clínicas, constatamos que o *distúrbio funcional é um mecanismo de defesa no indivíduo adulto*, mas na criança ele se configura como *um braço de seu conflito com o seu mundo externo*.

No distúrbio funcional, tanto o *sim psicológico* como o *não psicológico* podem ser transformados no *sim somático* ou no *não somático* sem o devido contato com o Eu consciente. Ademais, a angústia envolvida na situação é descarregada, independentemente de ser circunstancial, no caso da criança, ou patológica, no caso do adulto.

Dessa forma, a recusa em aceitar algum tipo de situação indesejada ("engolir sapo"), que seria resolvida com um não psicológico, pode vir a ser resolvida pela falta de desejo ou, até mesmo, pela recusa de comer (não somático utilizando o papel psicossomático de ingeridor). O mesmo ocorre com os outros modelos: a expressão de um sentimento de oposição ou de raiva, por exemplo, que seria resolvida com um confronto psicológico (sim psicológico), pode ser descarregada com uma crise de diarreia ou de cólicas intestinais (sim somático utilizando o papel psicossomático de defecador).

## O DISTÚRBIO FUNCIONAL NA CRIANÇA

Na criança, teremos como exemplos de conflitos:

- Não psicológico (mundo externo) × sim somático (criança).
- Sim psicológico (mundo externo) × não somático (criança).

Isso é possível porque entre a *rede neural somática* e a *rede neural psicológica* encontramos a *rede neural psicossomática*, que faz a ponte entre as sensações somáticas e as vivências psicológicas. Isso está bem explicado no volume VII desta coleção.

Lembremos que a rede neural psicossomática é estabelecida durante a fase cenestésica do desenvolvimento psicológico, que vai desde a vivência intrauterina até aproximadamente os 3 anos de idade. A partir dos 3 anos, acontece o término da fase cenestésica e o início da psicológica, que durará toda a

PSICOPATOLOGIA E PSICODINÂMICA NA ANÁLISE PSICODRAMÁTICA

**Figura 1** – Rede neural psicológica rudimentar na criança

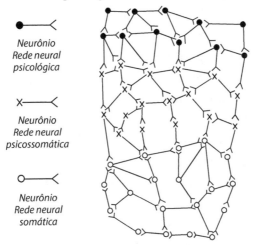

*Neurônio
Rede neural
psicológica*

*Neurônio
Rede neural
psicossomática*

*Neurônio
Rede neural
somática*

**Figura 2** – Rede neural psicológica normal do adulto

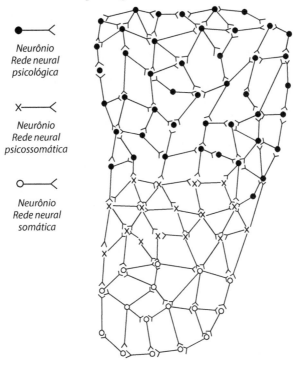

*Neurônio
Rede neural
psicológica*

*Neurônio
Rede neural
psicossomática*

*Neurônio
Rede neural
somática*

vida e cuja predominância é o enorme desenvolvimento da rede neural psicológica. Nos primeiros anos da fase psicológica (dos 3 aos 6 anos), temos predominância dos processos intuitivos (fase psicológica intuitiva); e, depois dos 6 anos, começam a se desenvolver os processos dedutivos. Gradativamente, estes ganham predominância sobre os intuitivos, conforme a rede neural psicológica se desenvolve.

Durante a fase intuitiva e no início da dedutiva, a rede neural psicológica ainda é bastante modesta, deixando a criança com uma margem pequena para os processos dedutivos em relação ao seu comportamento e ao daqueles com quem se relaciona. No entanto, nesse momento, a rede neural psicossomática já está plenamente estruturada. Isso significa que *a criança tem mais facilidade de responder de forma psicossomática do que de forma psicológica aos desafios relacionais ocorridos durante essa etapa.*

Por exemplo, uma criança de 5 anos que é forçada por uma mãe autoritária a ingerir, por tempo longo, uma comida de que não goste e em quantidade não desejada tem mais facilidade de desenvolver um sintoma anorético de recusar-se a comer (*não somático*) do que conseguir argumentar de forma psicológica e dedutiva (*não psicológico*) com essa mãe. Foi instalado um *distúrbio funcional* como resposta. A criança utilizou o *papel psicossomático de ingeridor para manifestar a sua resistência e recusa.* Se ela tivesse uma rede neural psicológica mais amadurecida, haveria um conflito do tipo mãe (sim psicológico) × criança (não psicológico):

Mãe: "Você tem de comer essa comida pra crescer e ficar forte!"
Criança: "Eu não gosto dessa comida. Vamos combinar outra comida para eu crescer e ficar forte".

Nesse exemplo, estamos utilizando *o modelo psicológico de ingeridor* para mostrar a vontade ou não de aceitar a imposição da mãe.

Na medida em que a rede neural psicológica da criança não está amadurecida, ela tende a reagir com a rede neural psicossomática:

Mãe: "Você tem de comer essa comida pra crescer e ficar forte!"
[Criança fecha a boca; não come; tem ânsia de vômito; chora e cospe (não somático).]

Nesse caso, temos um conflito mãe (sim psicológico) × criança (não somático), tratando-se de um exemplo de distúrbio funcional que *não se configura como um mecanismo defensivo, e sim como um braço de um conflito com o mundo externo que ainda não se tornou uma divisão interna; ou seja, esse conflito ainda não foi internalizado a ponto de se transformar em uma divisão interna.*

Outro exemplo: um menino de 6 anos que vive uma situação de opressão, críticas e censuras diante de tudo que faz ou diz passa a conter urina e fezes e as solta de repente nos momentos menos adequados (encoprese) – faz cocô e xixi na sala de aula, por exemplo. Se conseguisse se expressar e se comunicar psicologicamente, poderia argumentar e denunciar a excessiva rigidez dos pais, conseguindo debater e contrapor seu direito de expressão (sim psicológico). Não tendo ainda força nem maturidade da rede neural psicológica para exercer o sim psicológico, instala-se o sim somático, levando-o a fazer cocô e xixi em momentos inesperados, até para si mesmo. Está instalado um *distúrbio funcional*. A criança utilizou o *papel psicossomático de defecador* para expressar e comunicar seus direitos e vontades.

Se houvesse maturidade psicológica (rede neural psicológica) na criança, poderíamos ter o seguinte confronto:

Adulto: "Fica quieto, você só fala e faz besteira!"
Criança: "Vocês não têm a menor paciência e pensam que já sou adulto. Eu ainda não sou, e por isso mesmo ainda não aprendi a me comportar e dizer as coisas como gente grande".

Aqui, a criança utilizou o *modelo psicológico de defecador* para expressar seus direitos e vontades. Na medida em que não existe a maturidade na rede neural psicológica – a resposta da criança –, a solução que seu psiquismo encontra é manifestar-se pela rede neural psicossomática, surgindo um confronto do tipo:

Adulto: "Fica quieto, você só fala e faz besteira!" [não psicológico.]
[Criança faz cocô e xixi nos momentos em que não consegue se controlar e naqueles inadequados (sim somático).]

Temos, então, um confronto entre adulto (não psicológico) e criança (sim somático). Novamente, o distúrbio funcional não é um mecanismo de defesa, mas um braço de um conflito que ainda não foi internalizado.

Mais um exemplo: uma criança de 7 anos que é muito frustrada nas atividades que dependem dos adultos (não psicológico). Essa carga de tensão e frustração, que deveria ser descarregada agindo no mundo exterior, acaba represada, gerando uma tensão excessiva em seu mundo interno. Ao não conseguir uma argumentação psicológica convincente nem meios psicológicos alternativos para resolver o problema (sim psicológico), o psiquismo lança mão do papel psicossomático de urinador para fazer a descarga tensional, levando a criança a manter ou até aumentar a carga de enurese noturna (sim somático). Nesse caso, há opressão e contenção sistemáticas do mundo externo (não psicológico) e uma reação da criança, que utiliza o papel psicossomático de urinador (enurese) para reagir com o sim somático.

Agora, imagine uma criança de 6 anos que vive em um mundo externo tumultuado e caótico, sofre um controle excessivo das ações e vontades e tem pouca gratificação de seus desejos (não psicológico). Ao não conseguir os recursos psicológicos necessários para fazer frente ou, até mesmo, escapar dessa situação, desenvolve um aumento da atividade de masturbação infantil (distúrbio funcional ligado ao modelo de urinador), conseguindo dessa maneira um sim somático, com descarga de alívio e prazer (não sexual). No próximo capítulo, serão apresentados outros exemplos clínicos com mais detalhes.

Em resumo: na criança, a instalação do distúrbio funcional não se configura como um mecanismo de defesa que impede o contato com o material excluído e a angústia patológica correspondente. Ele é um *fator reativo* com o qual a criança tenta se defender dos conflitos com os adultos e das situações opressoras, impositivas ou restritivas, impostas por eles ou pelas próprias situações de vida que ela atravessa. Na impossibilidade de acionar os modelos psicológicos (a rede neural psicológica ainda é muito rudimentar), ela passa a confrontar o *não e o sim psicológico*, lançando mão dos papéis psicossomáticos e assumindo o *não e o sim somático*, sem um contato claro com o próprio psiquismo. De qualquer forma, a angústia circunstancial do conflito é descarregada e o conflito não chega a ser internalizado. Se essa situação for bem administrada, podemos ter uma abordagem preventiva de outros possíveis distúrbios.

A criança utiliza os papéis psicossomáticos (a rede neural psicossomática já está consolidada) na impossibilidade de utilizar os modelos psicológicos correspondentes (a rede neural psicológica é ainda muito rudimentar). Essa utilização não é um processo deliberado, nem mesmo consciente. É automático e independente do Eu consciente.

## O DISTÚRBIO FUNCIONAL NO ADULTO

O indivíduo adulto também utiliza o *papel psicossomático* no lugar do *modelo psicológico,* isto é, usa o *não* e o *sim somáticos* quando deveria utilizar o *não* e o *sim psicológicos.*

Diferentemente da criança, o adulto *utiliza o papel psicossomático quando o modelo psicológico está fortemente bloqueado por alguma psicodinâmica de seu mundo interno, ou seja, algum tipo de conflito que, em determinada* época, *ocorreu no mundo externo e foi gradativamente internalizado.*

Portanto, a grande diferença entre a utilização do distúrbio funcional no adulto e na criança é:

- Na criança: o uso do papel psicossomático (distúrbio funcional) é mobilizado porque os recursos psicológicos ainda são limitados (a rede neural psicológica é rudimentar). Ele se torna um dos poucos recursos para descarregar a angústia circunstancial gerada pelo conflito e, portanto, não é um mecanismo de defesa do psiquismo. O papel psicossomático pode até ser considerado um elemento de proteção, pois muitas vezes impede que esse conflito seja internalizado, transformando-se em uma divisão interna.

- No adulto: o uso do papel psicossomático (distúrbio funcional) é mobilizado porque os recursos psicológicos estão bloqueados por algum tipo de psicodinâmica de mundo interno (divisão interna). Ele se torna um recurso para descarregar a angústia patológica gerada pelo conflito do mundo interno e, ao mesmo tempo, evita o contato do Eu consciente com o material excluído envolvido no conflito interno. Dessa forma, o distúrbio funcional no adulto age como um mecanismo de defesa.

Por exemplo, uma criança que teve uma mãe muito autoritária, incisiva e opressora que a obrigava a aceitar, sem retrucar, uma série de conteúdos contrários à sua vontade ("engolir sapos") poderia, na época, ter-se defendido acionando o papel psicossomático de ingeridor (não somático/distúrbio funcional). Supomos que essa criança não fez isso – ou, se o fez, foi muito mal administrado. Assim, ela apenas incorporou a dinâmica de uma mãe autoritária, incisiva e opressora (figura de mundo interno) e anulou ou enfraqueceu o verdadeiro Eu (vontades e capacidade de se recusar a "engolir sapo"). Esse conflito foi internalizado e transformado em uma divisão interna do tipo:

"Você tem de aceitar essa situação!" [Figura de mundo interno: "mãe internalizada".]
"Mas eu não quero!" [Eu enfraquecido do próprio indivíduo.]

Nesse indivíduo adulto, encontraremos uma *divisão interna* entre a *figura de mundo interno (mãe opressora)* e o *verdadeiro Eu enfraquecido, anulado ou excluído*. Tal divisão é *pouco consciente; acionada independentemente da vontade, trata-se de uma dinâmica geradora de angústia patológica.*

Imaginemos uma situação de intensa contrariedade, em que esse indivíduo não consiga se defender psicologicamente (não psicológico) devido a essa divisão interna opressora incorporada. Seu psiquismo pode utilizar o papel psicossomático e mobilizar um distúrbio funcional: para de sentir vontade de comer, começa a ter náusea em relação à comida, começa a rejeitá-la (não somático) e, com isso, desenvolve um sintoma anorético. *Na impossibilidade de psicologicamente se recusar a "engolir sapo" (não psicológico), ele passa, de forma inconsciente, a parar de engolir comida (não somático).*

Ao acionar o papel psicossomático, ele descarrega a angústia patológica (não somático) diante dos sapos engolidos, gerando angústia entre as pessoas que o cercam (pedido de socorro). *Nesse caso, o distúrbio funcional, embora reativo a uma situação, é considerado um mecanismo de defesa, pois encobre toda a dinâmica interna do tipo opressor × oprimido que faz parte do material eliminado da segunda zona de exclusão.*

Imaginemos, agora, um indivíduo que tenha internalizado um conflito do tipo opressivo em relação a não poder confrontar – ou mesmo reagir às – provocações e agressões de seu mundo externo. Essa internalização configurou uma divisão interna do tipo:

"Estou com muita raiva, vou dizer poucas e boas para esse estúpido!" [Eu consciente do indivíduo.]

"Você não pode falar isso! Fique quieto e seja bem-educado!" [Figura de mundo interno, internalizada quando criança.]

Em situações de intensa provocação e irritação com o seu mundo externo (não psicológico), esse indivíduo deveria reagir colocando para fora sua revolta (sim psicológico). Diante de sua dinâmica de mundo interno (divisão interna que foi incorporada), que o impede de utilizar o sim psicológico, o psiquismo pode desencadear uma reação psicossomática de diarreia, flatulência e cólicas intestinais (sim somático). Foi mobilizado um distúrbio funcional ligado ao papel somático de defecador.

Como no exemplo anterior, essa situação se configura como um mecanismo de defesa, pois é uma reação a uma dinâmica de mundo interno do tipo: quero reagir (Eu enfraquecido), mas não posso nem devo (figura de mundo interno, internalizada na infância). Essa reação psicossomática evita o contato com o material eliminado da segunda zona de exclusão (divisão interna).

Em resumo:

- O distúrbio funcional na criança não pode ser encarado como um mecanismo de defesa. Ele é uma forma de reação que ela tem em diante de agressões e imposições do mundo externo. A criança utiliza o papel psicossomático (rede neural psicossomática) porque ainda não tem os recursos necessários para utilizar uma resposta psicológica (a rede neural psicológica está pouco desenvolvida). Portanto, a psicoterapia infantil na análise psicodramática deve atuar nos dois aspectos: na criança, desenvolvendo a resposta psicológica para sair da resposta somática; e, no mundo externo, orientando e tratando o papel dos pais para diminuir a pressão sobre o filho. Esse assunto está detalhado no Capítulo 2.
- O distúrbio funcional no adulto é uma reação que utiliza o papel psicossomático porque existe algum tipo de impedimento no mundo interno para utilizar o modelo psicológico exigido. Esse tratamento consiste em:

1. identificar e clarear para o cliente que determinado não somático está se contrapondo a determinado sim psicológico, ou determinado sim somático está reagindo a determinado não somático;
2. identificar e clarear para o cliente qual é o possível não psicológico que está sendo substituído pelo não somático, assim como ajudá-lo a reconhecer qual é o sim psicológico que está sendo substituído pelo sim somático;
3. identificar e tratar os impedimentos de mundo interno que dificultam a utilização do sim ou não psicológico em questão;
4. resolver a divisão interna, fazendo que a solução do conflito passe para a esfera psicológica e, automaticamente, desapareçam os sintomas manifestados na esfera psicossomática.

## 2. Os distúrbios funcionais na psicoterapia infantil

*Milene Shimabuko Silva Berto e Katia Pareja*

Com a ampliação e a reformulação do conceito de distúrbio funcional feitas pelo dr. Victor Dias, aliadas à observação de casos clínicos, este capítulo se propõe a trazer uma abordagem mais precisa desse mecanismo no desenvolvimento da psicoterapia infantil.

Entende-se que o distúrbio funcional na criança não pode ser compreendido como mecanismo de defesa, como o é no adulto, pois não contempla a ideia de que seria um procedimento do psiquismo para evitar o contato com o material eliminado da segunda zona de exclusão.

Até aproximadamente 2 anos e 6 meses de idade, todo material excluído é referente à fase cenestésica e permanece tamponado por um ou mais vínculos compensatórios. Por volta dos 3 anos, a criança inaugura a fase psicológica do seu desenvolvimento; embora as vivências já sejam registradas no Ego, esses registros estão apenas iniciando o processo de formação da rede neural psicológica.

A partir desse momento, o registro das vivências dessa criança passa a compor a rede neural psicológica e, assim, aos poucos ela vai fortalecendo os conceitos de quem ela é, de quem são os outros e de como devem ser as coisas. Inicialmente, isso ocorre de maneira intuitiva (dos 3 aos 6 anos). Depois disso, as vivências – sejam elas sentimentos, percepções de si mesmo e dos outros ou pensamentos – passam por um processamento mais dedutivo, que vai ganhando força e constituindo seu chão psicológico e seu conceito de identidade.

Essa concepção de si e do que está fora vai se formando à medida que a criança incorpora modelos e exemplos de pessoas admiradas, respeitadas e amadas (fase psicológica intuitiva). Os modelos e os traços psicológicos de pessoas que tiveram algum impacto afetivo sobre ela, tanto positivo (admiração, afeto, carinho, proteção etc.) como negativo (temor, hostilidade, ameaça, opressão etc.), serão incorporados nessa fase.

Por vezes a criança experimenta a relação com o mundo externo como fonte geradora de tensão e frustração, dependendo da forma como ela vivencia situações que não contemplem as vontades, necessidades e expressões de seu verdadeiro Eu.

Com os recursos psicológicos ainda rudimentares, ela passa a experimentar uma série de impedimentos para conseguir expressar sua vontade, opinião, necessidade ou sentimento. Conforme a rede neural psicológica vai se estruturando, os processos dedutivos se desenvolvem (fase dedutiva). Assim, a criança incorpora conceitos e amplia sua capacidade de integrar o sentir, o perceber e o pensar, tornando-se habilitada na argumentação, negociação e substituição do objeto de desejo, entre outros recursos mentais.

Na tentativa de resolver os conflitos com o mundo externo e não tendo os recursos psicológicos necessários, ela lança mão de um recurso da via somática, o distúrbio funcional. Trata-se de um recurso reativo para descarregar a angústia circunstancial decorrente de sua inter-relação com o mundo externo.

Acionando os papéis psicossomáticos, a criança viabiliza a descarga da angústia circunstancial, além de tentar confrontar o ambiente e evitar a internalização do conflito. Ela passa a se utilizar da linguagem somática (rede neural psicossomática já estruturada) em vez da linguagem psicológica (rede neural psicológica em estruturação).

O distúrbio funcional é uma tentativa da criança de exercer sua vontade, abrindo confronto com o adulto pela linguagem somática. É uma resposta reativa à imposição ou à restrição do adulto ou do meio (do que ela deve incorporar, expressar ou agir), pois ela ainda não consegue argumentar ou negociar em razão de sua rede neural psicológica ser muito rudimentar.

Podemos dizer que o distúrbio funcional na criança é uma queda de braço com o mundo externo, uma discussão em linguagens distintas – enquanto o adulto utiliza a linguagem psíquica, a criança responde com a linguagem somática (o não ou o sim somático).

Entende-se, portanto, que o distúrbio funcional na criança é um dos mecanismos possíveis, pois é por meio deste que ela consegue se posicionar no confronto com o mundo externo, descarregar a angústia circunstancial e impedir a internalização do conflito com os recursos que tem nessa fase do desenvolvimento emocional. O sintoma apresentado torna-se praticamente sua única via de expressão.

No entanto, vale ressaltar que esse braço de ferro tende a ser vencido pelo adulto caso o mundo externo não se flexibilize nem favoreça mais amplamente que a criança utilize a via psicológica para amadurecer, confrontar e se abastecer do que precisa.

# A FAMÍLIA DIANTE DO DISTÚRBIO FUNCIONAL DA CRIANÇA

Frequentemente as crianças chegam ao consultório trazidas por pais com muita dificuldade de lidar com os sintomas apresentados por elas. Gagueira, masturbação infantil excessiva, encoprese, enurese, distúrbios alimentares, disfunções gástricas, entre outros, aparecem comumente como a primeira queixa dos pais. Às vezes, esses sintomas são tão intensos e sistemáticos que geram angústias circunstanciais nestes, constrangimento para a criança e os familiares, ansiedade na busca de uma "cura" e insegurança a respeito da conduta a ser adotada diante do problema. Em geral, os pais têm um histórico de várias tentativas de manejo para cessá-lo ou de outras intervenções médicas sem sucesso.

O distúrbio funcional na criança encobre um confronto de vontades entre duas partes – ela e o adulto –, além de uma configuração familiar desorganizada, rígida, exigente ou excessivamente crítica. Dessa maneira, seu tratamento psicoterápico deve considerar tal compreensão, sendo importante atuar em duas frentes: com a criança e com os adultos/responsáveis.

## O MANEJO CLÍNICO COM A CRIANÇA

O processo psicoterápico com a criança que apresenta distúrbio funcional inicia-se com a explicação da função do sintoma somático, em que um não ou sim somático substitui um não ou sim psicológico. Conscientizá-la de que o sintoma é um posicionamento de sua necessidade ou de seu desejo é uma forma de confrontar o ambiente com a linguagem somática.

O principal objetivo é instrumentalizar a criança para a rede neural psicológica, transformando o não somático em não psicológico e o sim somático em sim psicológico, retirando do somático a carga da angústia circunstancial e evitando, assim, a internalização do conflito. É uma intervenção preventiva de internalização das figuras e das divisões internas. Em resumo, temos de acelerar o desenvolvimento de seus recursos psicológicos (rede neural psicológica) para que ela não precise mais utilizar os recursos somáticos (rede neural psicossomática).

O objetivo do trabalho de estimulação da formação da rede neural psicológica é que a criança passe a compreender com mais precisão a origem de angústia que sente e, com isso, se apoie mais no sentir, perceber e pensar e, assim, recrute novos recursos psicológicos para expressar necessidades e desejos. O poder de argumentação, negociação e confronto de vontades e necessidades passa a ser mais amplamente exercitado, e a descarga tensional passa a ser feita pela via correta.

É importante observar que o processo psicoterápico com a criança tem como premissa a instalação do clima terapêutico (aceitação, proteção e continência); é apoiada nesse clima que ela se torna capaz de acessar seu mundo interno, possibilitando outro contorno para suas vivências e minimizando a interferência de um opressor/inibidor externo.

Por meio do brincar, dos personagens das histórias criadas, dos desenhos elaborados, dos sonhos contados e das técnicas psicodramáticas, a criança passa a nos apresentar suas vontades, seus desejos, suas necessidades e suas intenções, além das imposições e das restrições presentes nas relações pessoais; paralelamente, nós a ajudamos a enfrentar a situação externa agressora e a posicionar-se diante dela.

O distúrbio funcional na infância, sendo uma tentativa da criança de não internalizar o conflito utilizando a linguagem somática, pode ser entendido como um mecanismo saudável, uma vez que é uma forma de responder a agressões, imposições e opressões do mundo externo. É necessário levar em conta que o processo de amadurecimento é dinâmico, sendo a relação do indivíduo com o mundo externo composta de muitas nuanças. Isso significa que a expressão pela via somática é a derradeira tentativa da criança de preservar o verdadeiro Eu. Aquelas que não têm a oportunidade de fazer psicoterapia ou não contam com a adesão da família ao processo certamente verão seu Eu anulado e incorporarão conflitos e figuras de mundo interno que vão gerar a respectiva angústia patológica.

As observações clínicas ainda não corroboram a teoria desse limiar, mas é possível perceber que não demora muito para a criança perder o braço de ferro. A entrada na fase psicológica dedutiva pode ser um divisor de águas. Por volta dos 6 ou 7 anos de idade, a pesquisa intrapsíquica torna-se importante para avaliar se o conflito tão amplamente rebatido pelo somático já não se encontra internalizado.

## O MANEJO CLÍNICO COM A FAMÍLIA

Paralelamente à intervenção com a criança, a abordagem com os pais é de extrema importância, pois entendemos que o distúrbio funcional infantil é resultado de uma posição discordante na relação com o ambiente externo, sendo, portanto, fundamental mostrar aos responsáveis que estão diante de uma disputa de vontades entre eles e a criança, com o uso de linguagens diferentes – os adultos utilizando a linguagem psicológica e a criança, a psicossomática.

O tratamento do papel dos pais identifica o confronto presente na relação com o filho e abre espaço para a negociação, favorecendo a diminuição da imposição e da restrição à criança e, consequentemente, a minimização da resposta somática.

O papel do terapeuta infantil é intermediar a disputa de vontades e necessidades entre a criança e a família; porém, não se trata de uma tarefa simples nem fácil, pois frequentemente precisamos questionar condutas, conceitos e valores dos pais/responsáveis – suas verdades, sua compreensão acerca do filho e a forma como eles entendem que devem conduzir sua educação.

Aqui reside um dos principais limites e impedimentos da psicoterapia infantil. Muitos pais apresentam indisponibilidade para aprofundar esses questionamentos, para rever seus conceitos e facilitar um acordo com a criança. O entendimento parental de que o sintoma apresentado por ela é um indicativo da dificuldade de utilizar a linguagem psicológica para expressar seus desejos e necessidades – e de que a origem dessa dificuldade está na relação da criança com o mundo externo – marca o início da construção de um diálogo com essa família. É imprescindível mostrar, no contexto terapêutico, que o sintoma é o último recurso da criança para preservar sua identidade e que, em breve, este dará lugar à internalização de conflitos que permearão suas relações pelo resto da vida.

Outro ponto importante é que a forma de os pais apoiarem a criança não se dá unicamente por meio de concessões. Estimular a expressão dos desejos e das necessidades, auxiliar na identificação de possibilidades mais gratificantes e ajudar a descobrir novas formas de substituir o desejo inicial por possibilidades mais realistas são meios bastante eficientes na abertura de espaços para um clima com menos imposições, opressões e rigidez.

## Casos clínicos

**Pedro, 7 anos**

Queixa inicial: contenção excessiva da urina e das fezes até o limite máximo da perda de controle.

Em conversa inicial com os pais, o sintoma de Pedro foi trazido com grande carga de angústia circunstancial, uma vez que, com frequência bastante alta, o menino fazia xixi e cocô nas calças em momentos inapropriados – dentro do carro, no percurso até o restaurante para um almoço em família, no meio da aula e até quando todos estavam prontos para sair de casa para um passeio. A dinâmica era sempre a mesma: uma contenção exacerbada da urina e das fezes até o momento em que não havia mais condição de controle.

O contexto familiar evidenciava uma mãe muito insatisfeita com a vida, com dificuldade de transpor os impedimentos da realidade, o que gerava grande desespero e sensação de impotência diante das dificuldades cotidianas; e um pai amortecido, sem assumir uma posição de intervir no desespero da esposa e incapaz de expressar com clareza suas opiniões e intenções.

Desde o início das sessões, Pedro se apresentou de forma bastante receptiva e disponível. Sempre fazia bom uso dos recursos lúdicos e propunha brincadeiras. Logo foi possível perceber um padrão nos temas: todas precisavam funcionar como "garantia" para sua satisfação. Uma de suas brincadeiras foi construir estilingues com palitos de sorvete e fita-crepe. Para brincarmos com esses estilingues, foi necessário que cortássemos muitos papeizinhos para servir de munição. Em suas palavras, seriam necessários "infinitos papéis para nunca faltar". Depois de cortar diversos papéis, alinhou-os em fila e contou 28. Concluiu que, "embora parecessem muitos, na realidade eram poucos". Ficou bem frustrado diante dessa constatação.

Em outra interação, Pedro propôs que construíssemos uma pista de carros com blocos de madeira. As pistas eram estreitas e sinuosas. Para a passagem dos carros nessas pistas, muitos impedimentos foram se apresentando: congestionamentos, carros quebrados, falta de combustível e caminhos bloqueados. Para cada um desses impedimentos surgia uma figura especializada em resolver a situação, em uma clara necessidade de identificar os papéis para a fluidez da vida. As intervenções ocorriam na tentativa de buscar soluções para cada impedimento, acelerando os recursos psicológicos da criança. Entendemos que a pista de carros era a projeção de saída de seus conteúdos (sentimentos e vontades) para o mundo externo, sem a quantidade enorme de impedimentos que estava encontrando.

Além disso, o menino ficava muito contrariado quando o meu carro circulava pela pista, pois ele me dizia que o veículo era grande demais para o circuito que ele havia construído e que eu tinha de me adaptar e ser muito cuidadosa para não destruir tudo. Aqui também me mostrou quanto o externo, por ser grandioso e intenso, provocava tensões em seu mundo interno, causando-lhe bloqueios.

Nomear os sentimentos representados no brincar, possibilitando a comunicação de seus conceitos, sensações e tensões, ajudavam-no a se localizar no mundo externo. Utilizando a técnica do espelho no contexto psicodramático infantil, que denominamos "área da brincadeira", Pedro identificou aos poucos a origem das tensões e frustrações diante dos impedimentos e foi capaz de se assegurar na precisão de seus sentimentos. Nesse caso, existia a utilização do modelo psicossomático de defecador (sim somático) para expressar e comunicar seus sentimentos, pensamentos e percepções diante das insatisfações, do desespero e das tensões vindos do ambiente, uma vez que a expressão pela rede neural psicológica ainda não estava plenamente disponível para exercer o sim psicológico.

A família se mostrava bastante resistente a reavaliar sua conduta, e a incoerência em relação a como cada um dos pais lidava com a realidade era tão grande que sobrava pouco espaço para um autoquestionamento. Pedro se beneficiou do processo terapêutico não por ter encontrado uma forma de se comunicar com os pais, mas pelo fato de ter tido condições de acelerar as construções da rede neural psicológica.

## *Juliana, 5 anos*

Queixa inicial: seletividade alimentar.

A entrevista inicial com os pais trouxe como queixa a seletividade alimentar de Juliana, que beirava a recusa total de comer. Segundo a menina, se ela comesse passaria mal.

Havia também uma recusa às questões do crescimento, ficando ainda muito dependente da chupeta e do paninho, com crises de choro todos os dias antes de ir à escola.

Os pais relataram a forte influência da avó materna, pois esta interferia com frequência em condutas, normas e conceitos vigentes na família. A mãe tinha um discurso de queixa e reclamação, pois estava bastante insatisfeita e com muitos impedimentos para conduzir a própria vida. O pai se apresentava de maneira isenta e pouco colaborativa.

Nas sessões com Juliana, eram evidentes seu retraimento e sua imaturidade. Entrava na sala sempre de chupeta, recusava-se a brincar e não explorava o *setting*. Foram necessárias algumas sessões para que ela começasse a propor brincadeiras.

Surgiu uma proposta com a família de bonecos de pano, em que Juliana configurou uma família com mãe, pai, filha, avô e avó. O tema era centrado no seguinte conflito: a filha não queria morar com os pais, e sim com os avós. A filha da família de bonecos era protegida pela avó, que dizia aos pais que eles não cuidavam direito dela. Logo ficou evidente que essa filha se beneficiava sobremaneira dessa dinâmica e que só aceitava conteúdos afetivos vindos da avó, rejeitando aqueles vindos da mãe.

Utilizando esses dados oriundos do brincar, foi possível introduzir o tema na área da brincadeira e, com a técnica do espelho com duplo, inserir as intenções, vontades e percepções dela diante dessa dinâmica familiar, acelerando, assim, a rede neural psicológica.

Aos poucos, a menina foi assumindo sua identificação com a filha da família de bonecos e percebendo as incoerências presentes nas relações com os adultos que a cercavam, sendo capaz de localizar sua recusa diante das demandas da mãe.

Entendemos que a criança utilizou o papel psicossomático de ingeridor para manifestar suas insatisfações, vontades e intenções nas relações com o mundo externo, por ainda não ter os recursos psicológicos amplamente amadurecidos. Assim, por meio do trabalho psicoterapêutico, foi possível acelerar sua rede neural psicológica, retirando do somático a carga de angústia.

Em paralelo, o trabalho com a família foi apoiado na necessidade de reavaliar os papéis de cada um dos membros, fortalecendo o "jeitão" de ser da família nuclear a fim de blindar um pouco a influência da avó (família de origem), uma vez que este era o principal ponto de mobilização de angústia (circunstancial) e tensão nas relações do grupo.

### Laura, 5 anos

Queixa inicial: masturbação infantil excessiva.

A queixa inicial trazida pelos pais foi a exacerbação da masturbação de Laura, que causava constrangimento na família e dúvidas sobre como lidar com esse comportamento. Segundo os pais, a menina se masturbava com frequência e grande intensidade, não tendo autocontrole para cessar esse ato sem a intervenção de um deles.

Havia forte discordância do casal sobre a forma de conduzir a educação dos filhos. A mãe se mostrou muito queixosa e insatisfeita com o casamento e a condução de sua vida. O pai apresentava uma postura de não evidenciar o que de fato pensava e sentia. Ambos tinham muita dificuldade de se sentir satisfeitos e acusavam-se a respeito de quem seria o responsável pela disfunção familiar.

Com Laura, o trabalho psicoterápico procurava favorecer a expressão de suas fantasias e vontades sem a contenção experimentada fora do *setting*. Uma de suas propostas de brincadeira mais significativas foi entrar no papel de mulher e exercitar todas as fantasias de satisfação feminina. A solicitação era de que eu assumisse o papel do homem que a elogiava, admirava e reconhecia publicamente que ela era linda, que seu vestido era o mais belo da festa. Após o término dessa festa, esse casal ia para sua casa e, ao se deitarem, a mulher identificava um cheiro ruim vindo do homem e pedia-lhe que tomasse longos banhos com sabonetes cheirosos.

Depois de repetir essa brincadeira diversas vezes, finalmente a menina estava pronta para entrar no papel de mãe. Fui colocada dessa vez como filha. Nesse jogar de papéis, ela mostrava compreender bastante bem os traços de sua mãe real. A mãe que ela jogava no papel submetia a filha a longos preparos de comidas deliciosas, que nunca ficavam prontas ou se alteravam para pratos com pouquíssima quantidade – ou, ainda, tinham de ser compartilhados com 15 irmãos imaginários.

De posse desses dados, foi possível entender como essa filha se sentia quando era obrigada a adiar, suprimir ou estar constantemente insatisfeita diante do que recebia, favorecendo a descarga dessa angústia circunstancial e recrutando seus recursos psíquicos para resistir a essa situação. Identifiquei que o sim somático (masturbação) servia como descarga da tensão proveniente do excesso de frustrações que essa relação lhe proporcionava, acionando o papel psicossomático de urinador na masturbação sistemática como forma de descarga prazerosa.

Cada um dos pais foi encaminhado para a psicoterapia individual, e, no processo terapêutico de Laura, trabalhou-se a possibilidade de que eles oferecessem mais apoio à menina na expressão de suas frustrações diante da dificuldade de ter seus desejos atendidos.

## *Rafael, 6 anos*

Queixa inicial: enurese.

O contato inicial com os pais trouxe a queixa da escola de que Rafael tinha muita dificuldade de focar em suas atividades, apresentando enorme agitação corporal, tiques (pigarros e mexer contínuo nas partes íntimas) e agressividade diante dos amigos e da irmã mais velha.

Os pais eram bastante contidos. O pai, mais racional, relatava dificuldade de entender por que o filho apresentava determinados comportamentos e atitudes, ao passo que a mãe, em um lugar mais apaziguador, tentava constantemente amenizar a intensidade das emoções presentes nas relações familiares, com um discurso de que não costumava observar os comportamentos descritos pela escola ou que considerava natural outros comportamentos apresentados por Rafael pelo fato de ele ser criança e menino. Somente depois de algumas interações com a família é que veio à tona o sintoma de enurese.

Com Rafael, foi possível estabelecer rapidamente o vínculo e observar o encadeamento dos comportamentos trazidos pelos pais. Ele era intenso nas propostas de brincadeira, sugerindo com frequência atividades que envolvessem descarga tensional, como guerra de almofadas ou pega-pega. Essas atividades funcionavam como um esvaziamento de energia para ele, e somente depois disso as propostas mais simbólicas apareciam. Começaram a surgir temas relacionados à sua tentativa de apresentar traços do seu Eu que estavam oprimidos; o menino chegou até a propor uma brincadeira em que ele fazia comidas para ser degustadas. Nelas havia ingredientes "ruins", estragados, nojentos, pouco atrativos, mas mesmo assim deveriam ser provadas e aceitas pela terapeuta.

Em uma sessão, surgiu a brincadeira com fantoches; os personagens escolhidos foram o Lobo Mau e os três porquinhos. Ele entrou no papel do Lobo, devendo a terapeuta dramatizar os porquinhos. Nesse jogo, o Lobo demonstrava toda sua voracidade e vontade de abocanhar os porquinhos, ficava muito satisfeito e se deliciava com seu instinto devorador. Foram várias sessões para que ele conseguisse exercitar sua intensidade de desejos e atingir a satisfação sem que fosse preciso controlar seus impulsos e desejos, e a ideia era essa mesma. Com a utilização da técnica do espelho com duplo, essa percepção de que sua voracidade e intensidade precisavam ser contidas foi trabalhada para que ele identificasse seus desejos e se apoiasse em processos psicológicos para expressá-los. Afinal, a frequente contenção dos conteúdos emocionais de Rafael, proporcionada pelas relações familiares, e o fato de ele não encontrar repertório psicológico para confrontar o mundo externo favoreciam a utilização do papel psicossomático de urinador para liberar a descarga tensional.

No caso dos pais, a terapeuta explicou o padrão de contenção das emoções presentes na família que inviabilizava a expressão das frustrações, dos medos, da raiva e do ciúme. A tentativa de gerenciar as emoções, mantendo-as no âmbito do autocontrole, trazia uma tensão emocional para o menino, uma vez que, ao entrar em contato com desejos e vontades, ele não encontrava via de expressão no núcleo familiar.

# 3. A patologia e o manejo dos sentimentos na psicoterapia

*Virgínia de Araújo Silva*

Este capítulo é uma tentativa ousada de sistematizar a complexidade de determinados sentimentos humanos, diferenciando-os de expressões emocionais saudáveis e analisando quando e por que estas se tornam patológicas. Indicarei aqui o manejo correto para cada dinâmica associada aos sentimentos e organizarei em texto único os escritos sobre o tema trabalhado em livros anteriores desta coleção.

A princípio, penso ser esclarecedor relembrar a diferença conceitual entre sensação, emoção e sentimento.

- *Sensação:* processo em que a informação é interpretada pelo cérebro com o auxílio dos sistemas sensoriais (audição, visão, olfato, tato e paladar). Entendemos sensação como *a precursora da intuição, das emoções e dos sentimentos.* Podemos compará-la com um rio e seus afluentes que se inter-relacionam, mas apresentam características próprias. Emoções e sentimentos funcionam como um ciclo psicológico estreitamente relacionado, em que a emoção pode gerar um sentimento, que, por sua vez, pode gerar novas emoções e novos sentimentos.

- *Emoção:* conjunto de respostas neurais e bioquímicas desencadeadas quando o cérebro recebe um estímulo externo (ambiental). Essas respostas ocorrem nas regiões subcorticais, criando reações no corpo e alterando o estado físico e emocional.
- *Sentimento:* encontra-se em outra área do cérebro, nas regiões neocorticais. Os sentimentos representam reações e associações às emoções que são influenciadas por experiências pessoais, memórias e crenças do indivíduo. Eles resultam de uma experiência emocional – sendo portanto originários de uma emoção – e são duradouros; às vezes, perduram por toda a vida. Já as emoções resultantes de uma reação imediata diante de um acontecimento são passageiras.

Resumindo, os sentimentos nomeiam as emoções e envolvem os processos cognitivos do indivíduo. Com isso, é possível desenvolver os tópicos seguintes com base na análise psicodramática e utilizar o termo "sentimento".

Na análise psicodramática, entendemos que os sentimentos estão localizados e representados em três áreas: corpo, mente e ambiente. Isso significa que, na psicoterapia, trabalharemos os sentimentos – como sentir o sentimento (área corpo), explicá-lo (área mente) e perceber quando ele foi acionado (área ambiente). No caso da raiva, por exemplo, ter raiva na área corpo é *sentir o sentimento físico de raiva*; na área mente, é *explicar o sentimento da raiva*; na área ambiente, é *perceber a situação mobilizadora desse sentimento*.

## *Valor moral* × *valor essencial dos sentimentos*

Partimos da premissa de que o ser humano nasce com a capacidade de sentir todos os seus sentimentos. Sendo assim, não aceitamos que estes possam ser divididos em bons e maus. O que realmente aceitamos é que existem sentimentos mal administrados.

Os sentimentos, em essência, não são patológicos: eles necessitam de tratamento na psicoterapia quando se manifestam dessa forma, gerando angústia patológica ou, até mesmo, circunstancial ou existencial.

*Esse fenômeno ocorre, por exemplo, quando os sentimentos ficam vinculados a valores morais ou religiosos; enfim, são definidos pela ordem imaginada, e não pela essência que representam na vida do ser humano.*

A moral é definida como o conjunto de regras e normas que regem o comportamento dos indivíduos em determinada época, por determinado tempo e em determinada cultura. A moral está inserida na ordem imaginada que rege todo o comportamento da sociedade humana.

Esse conjunto normativo é variável, tendo sido ditado basicamente pelas religiões. Foi com o advento das religiões monoteístas, em substituição às panteístas, que o código moral do Deus único acabou por separar os sentimentos em *bons* e *maus*, dando-lhes, assim, um *valor moral*.

Os sentimentos bons passaram a ser estimulados e considerados virtudes, enquanto os maus foram reprimidos e vistos como imorais ou pecado. Essa cartilha acabou influenciando o comportamento das pessoas, qualificando aqueles regidos pelos sentimentos bons como desejáveis e virtuosos, e os regidos pelos sentimentos maus como indignos e culposos. A consequência disso é que *os sentimentos ganharam valor moral e perderam seu valor essencial.* O valor essencial é de suma importância para a saúde mental e a sobrevivência emocional do ser humano.

Todos os sentimentos, independentemente de ser rotulados como bons ou maus, devem ser adequadamente administrados, pois, caso isso não ocorra, podem ser deletérios ou prejudiciais.

Mas, afinal, o que significa administrar um sentimento? Não é dosar sua expressão, como pregam algumas teorias psicológicas, muito menos reprimi-lo, como o fazem algumas religiões em relação aos sentimentos maus. Também não é exaltar os sentimentos bons e pensar positivamente para transformar os sentimentos maus em bons, como pregam outras teorias. *Administrar os sentimentos, no conceito da análise psicodramática, significa recuperar o valor essencial perdido e expressá-lo de forma adequada segundo a ordem imaginada.*

Faremos a seguir um exercício de recuperação do valor essencial dos sentimentos mais frequentes que surgem durante a psicoterapia.

### *Egoísmo*

Valor moral: negativo.

Valor essencial: sentimento ligado à autoproteção. Se o indivíduo não cuidar dos próprios interesses, pode acabar espoliado. Quando bem administrado, é um sentimento saudável para a própria proteção da pessoa.

### *Vingança*

Valor moral: negativo.

Valor essencial: sentimento ligado ao respeito. Se o indivíduo não der o troco quando for agredido, acaba sendo invadido e desrespeitado. Já diz o ditado: "Só se respeita cachorro que morde".

## Ambição
Valor moral: negativo.
Valor essencial: sentimento ligado à busca de sucesso na vida. É ter garra para lutar e conseguir seus objetivos. A ambição bem administrada é fundamental para o sucesso. A ganância faz parte dos sentimentos de ambição mal administrada.

## Vaidade
Valor moral: negativo.
Valor essencial: sentimento ligado à autoestima. A pessoa deve gostar de si mesma e de seus atributos e dar valor e importância a eles.

## Interesse
Valor moral: negativo.
Valor essencial: sentimento ligado à capacidade de conjugar os interesses, próprios ou alheios. É a arte da política de fazer alianças e administrar os diversos interesses.

## Prepotência
Valor moral: negativo.
Valor essencial: sentimento ligado à liderança. Não se consegue conceber um general, um imperador, um presidente, um

CEO de multinacional como seres humildes. Culturalmente, tem-se a ideia de que, para transmitir credibilidade, o líder precisa apresentar certo grau de prepotência; caso contrário, não conseguirá liderar.

## *Ciúme*

Valor moral: negativo.

Valor essencial: sentimento ligado ao zelo, ao cuidado com as relações, coisas e pessoas amadas.

## *Despeito*

Valor moral: negativo.

Valor essencial: sentimento ligado à não aceitação de ser preterido ou não escolhido. É ligado à própria importância. Quando bem administrado, pode gerar a garra e o empenho para se conseguir o que deseja.

## *Inveja*

Valor moral: negativo.

Valor essencial: sentimento ligado à justiça. É a não aceitação e a revolta contra as injustiças e os privilégios.

## *Cobiça*

Valor moral: negativo.

Valor essencial: sentimento ligado à admiração e ao desejo de ter algo ou até ser igual ao outro. Quando bem administrado, estimula a luta para se conseguir o que deseja.

Os sentimentos considerados bons não perderam seu valor essencial, portanto não apresentam conflitos de ordem moral ou religiosa. Se exagerados, também se tornam prejudiciais e precisam ser abordados na psicoterapia. Por exemplo, amor, bondade, dedicação, compaixão, pena, altruísmo etc. são todos considerados bons, louváveis e esperados. Porém, podem se tornar patológicos em duas situações:

1. quando funcionam como *emoções reativas*, que é um mecanismo de defesa de evitação;
2. quando atrelados a alguma psicodinâmica patológica.

Nesses casos, esses sentimentos não estão mais funcionando pelo valor essencial, mas, sim, pela função psicopatológica que representam – por exemplo, o sentimento de dedicação emitido com a segunda intenção de receber ou o sentimento de pena como uma emoção reativa que encobre a hostilidade. Veremos isso com detalhes no decorrer do capítulo.

Como observamos nos exemplos apresentados, nenhum sentimento é patológico em si mesmo quando consideramos o seu valor essencial. O que necessitamos trabalhar na psicoterapia é:

1. A diferenciação entre o valor moral e o essencial do sentimento em questão. Se não fizermos essa distinção, encontraremos apenas um julgamento ou autojulgamento moral negativo.
2. A administração do sentimento considerado bom ou ruim. Se for mal administrado, ele se torna prejudicial – por exemplo, o egoísmo e a generosidade em excesso podem ser danosos.

Em relação às estratégias psicoterápicas:

1. identificar e aceitar o sentimento;
2. esclarecer seus valores morais e essenciais;
3. avaliar a adequação ou inadequação da descarga desse sentimento em relação ao binômio certo × errado e querer × poder;
4. produzir a descarga, de forma adequada, do sentimento em questão utilizando os métodos psicodramáticos cena de descarga e cena de descarga no espelho.

## Sentimentos espontâneos × adquiridos

Sentimentos espontâneos são aqueles que surgem "de graça", sem que seja preciso fazer algo para conquistá-los. O amor, a simpatia, a empatia, a compaixão e a própria antipatia encaixam-se nessa categoria.

Já os sentimentos adquiridos precisam ser conquistados. Admiração, respeito e confiança são alguns deles. Por exemplo, é possível dar a alguém um crédito de confiança, mas a verdadeira confiança tem de ser conquistada. Da mesma maneira, uma pessoa pode conquistar a admiração, o respeito e a confiança de outra com base na própria conduta.

É muito comum ocorrer uma vinculação automática entre os sentimentos espontâneos e os adquiridos. É até estranho, em um primeiro momento, constatar que podemos gostar de uma pessoa e, ao mesmo tempo, não confiar nela ou não admirá-la; e que podemos ter antipatia por alguém e, ao mesmo tempo, admirar seus feitos; ou, ainda, sentir compaixão por um indivíduo que não respeitamos.

Respeito é outro sentimento adquirido que frequentemente se confunde com sentimento espontâneo e é cobrado como tal – por exemplo, um pai que exige do filho respeito pelo fato de ser o genitor. Na verdade, o pai é que tem de conquistar o respeito do filho, assim como o chefe tem de conquistar o respeito de seus funcionários.

Nas relações de maneira geral, e sobretudo nas hierárquicas, o respeito não se impõe, se conquista com posturas e atitudes. Podemos impor temor, mas não respeito.

A vinculação automática entre os sentimentos espontâneos e os adquiridos causa inúmeras complicações na interação entre as pessoas, sobretudo em relação às avaliações interpessoais. Essas vinculações, que são muito comuns, são também origem de grandes conflitos relacionais, como:

- Eu gosto, então eu confio!
- Eu não gosto, portanto não admiro!
- Eu tenho antipatia, então não respeito!
- Eu respeito, portanto eu gosto!
- Eu não gosto e, por isso, não respeito!

São inúmeras as possibilidades de que esse tipo de vinculação aconteça, como se isso fosse o natural e o esperado.

O fato é que esses conceitos morais fazem parte da ordem imaginada e são fortemente difundidos, acabando por fazer parte do conceito de identidade do próprio indivíduo (*chip*!), gerando uma expectativa de comportamento (armadilha) em relação a nós mesmos e aos outros. Sendo assim, torna-se necessária uma reflexão sobre o tema para que se possa sair de tal armadilha.

Essa vinculação automática entre os sentimentos espontâneos e adquiridos está na origem de inúmeros desencantos, decepções e conflitos relacionais, principalmente quando tratamos de relações afetivas, profissionais e sociais.

É com enorme surpresa que o cliente, durante a psicoterapia, recebe o esclarecimento sobre esse tipo de vinculação, de tão arraigado que isso está no conceito de identidade. Muitas vezes, esse tema só vem à tona quando os conflitos já estão instalados. Por exemplo, Sueli (nome fictício) traz à terapia uma enorme decepção a respeito de Mário (nome fictício), namorado que sumiu e deixou o aluguel sem pagar, sendo que ela era sua fiadora. Sueli apresenta o argumento "lógico" de: "Claro que fui fiadora, gostava tanto dele que confiei cegamente!" Trata-se de um caso bastante claro da mistura entre o sentimento espontâneo de gostar e o sentimento adquirido de confiar.

Já Marina (nome fictício) vive sempre sem dinheiro, embora trabalhe bastante e seu consultório seja bem movimentado. Tem uma secretária há 20 anos que julga de absoluta confiança, portanto nunca confere suas contas. "Já somos amigas! Gosto muito dela." Após o clareamento da questão, Marina resolveu verificar as contas e, para sua enorme decepção, constatou que a secretária desviava dinheiro havia anos. Temos novamente a confusão entre gostar e confiar.

Essas situações sempre mobilizam angústia circunstancial, pois quebram uma expectativa de comportamento já fortemente estabelecida. A estratégia psicoterápica consiste em esclarecer esse tipo de confusão e vinculação entre os sentimentos e em ajudar o cliente a desvincular os sentimentos espontâneos dos adquiridos. É um trabalho preventivo, pois, ao fazer isso, conseguimos melhorar bastante sua capacidade de perceber e avaliar os outros e a si mesmo.

### Estratégia psicoterápica

1. O terapeuta precisa ter bem claro o conceito de sentimentos espontâneos e adquiridos e sua errônea vinculação.
2. Deve-se conversar na psicoterapia sobre essa temática, focando e esclarecendo sobretudo situações em que isso possa ter ocorrido com o cliente.
3. Esse trabalho com a angústia circunstancial resultante da quebra de expectativa promove o fortalecimento da parte saudável do cliente e seu amadurecimento.

## SENTIMENTOS REATIVOS

Chamamos de sentimentos reativos aqueles utilizados pelo psiquismo para encobrir e evitar o contato com os sentimentos localizados na zona de exclusão.

A psicologia descreve os sentimentos como primários (originais) ou secundários (reativos). Podemos também usar a terminologia de sentimentos manifestos e latentes.

Os primários são os sentimentos verdadeiros, expressos de forma intensa, mas não exagerada ou dramaticamente. O simples fato de constatar determinado sentimento já é suficiente para o indivíduo localizar seus conteúdos emocionais envolvidos; nem sempre ele necessita da descarga emocional correspondente. Uma expressão apropriada seguida de uma ação efetiva já os descarrega e alivia. Eles vêm acompanhados de uma sensação de segurança e calma. Por exemplo, uma pessoa pode sentir tristeza profunda ou raiva intensa, mas esses sentimentos primários não estão acoplados nem geram uma angústia patológica.

Na análise psicodramática, chamamos os sentimentos secundários de reativos, porque servem para evitar o contato com os sentimentos excluídos que, ao ser mobilizados, geram angústia patológica. Dessa forma, os sentimentos reativos são encarados como *mecanismo de defesa de evitação, denominado defesa de emoção reativa.*

Eles sempre se manifestam misturados com uma carga de angústia e ansiedade e apresentam função de defesa de evitação em níveis variáveis de consciência, porque mascaram e evitam o contato com os sentimentos primários (latentes).

Deixamos bem claro que o sentimento não é patológico; patológico é o mecanismo que o encobre para evitar a mobilização da angústia patológica, na medida em que esse sentimento está na zona de exclusão, portanto "proibido de se tornar consciente".

A expressão dos sentimentos reativos não alivia a angústia patológica – ao contrário, eles são retroalimentados, fortalecem-se e intensificam-se cada vez mais. Na verdade, evitam a conscientização da origem real dessa angústia patológica (sentimento latente).

A forma mais eficiente de identificar um sentimento reativo é a observação da discordância entre este e o conteúdo da fala e do discurso que sugere e aponta para o sentimento latente.

Assim, nas defesas de sentimentos reativos, ocorre uma contradição entre o que se diz (discurso) e o sentimento manifesto (reativo); o discurso se mostra desencontrado, pois está em desacordo com a situação, a intenção e o conteúdo comunicado. Essa fala causa uma sensação de estranheza no interlocutor, como se houvesse algo falso ou desencaixado no discurso.

Os sentimentos reativos funcionam como defesa de evitação exatamente porque, ao evitar o contato com o sentimento latente, impedem o contato com a angústia patológica. Por exemplo, uma pessoa que utiliza o sentimento de bondade e caridade como evitação de seus núcleos de ira e hostilidade, ao acessar os sentimentos de ódio e vingança, teria necessariamente de questionar seu conceito de identidade e entrar em contato com o material excluído.

Esses sentimentos primários, ou latentes, mobilizam conteúdos que se encontram camuflados, encobertos na segunda zona de exclusão e justificados no seu conceito de identidade.

Ao mobilizar o sentimento reativo de pena no lugar do sentimento latente de raiva, é possível manter sem conflito o conceito de identidade (manter evitado o material excluído).

Entretanto, por esse artifício, o indivíduo passa a apresentar discurso e atitudes artificiais, falsos e carregados de sentimento reativo. É a defesa de evitação em ação transformando o sentimento latente em outro manifesto, que o conceito de identidade consegue absorver sem conflito.

São inúmeras as configurações emocionais da manifestação dessa defesa de evitação, caracterizadas pela substituição dos sentimentos primários (latentes) pelos secundários (manifestos ou reativos). Alguns exemplos:

1. Expressão de sentimento de raiva (reativo) em substituição ao sentimento latente de tristeza ou impotência: significa que a raiva manifesta é uma defesa de sentimento reativo, pois esconde e camufla para o próprio indivíduo seus conteúdos verdadeiros ligados à tristeza e à impotência.
2. Expressão do sentimento manifesto de alegria reativo ao sentimento de tristeza ou constrangimento: nesse caso, o indivíduo apresenta uma fala divertida e eufórica que camufla o sentimento de tristeza.

3. Expressão do sentimento reativo de piedade e comiseração em substituição ao sentimento latente de hostilidade e competição.
4. Expressão do sentimento reativo de raiva em substituição ao sentimento latente de insegurança ou impotência: nesse caso, o discurso carregado de raiva encobre o sentimento de medo e insegurança.
5. Expressão do sentimento reativo de soberba e onipotência em substituição ao sentimento latente de medo e fragilidade: nesse caso, também o discurso está em desacordo com o sentimento latente.

Em todos esses exemplos, vale recordar que, por mais que o cliente fale ou o terapeuta faça cenas de descarga, o sentimento manifesto não é descarregado, pois é somente um impedimento para o contato com o sentimento real (latente).

### Estratégia psicoterápica

1. Identificação da defesa de sentimento reativo: é feita por meio da observação do contraste sistemático entre o sentimento manifesto (reativo) e o conteúdo do discurso do cliente, em que está subentendido o sentimento verdadeiro (latente). Observa-se também a presença de angústia patológica, na forma de sentimentos exacerbados, dramáticos e artificiais.
2. Cena de descarga do conteúdo manifesto e do sentimento reativo: como vimos, essa cena não tem o objetivo de descarregar nem é resolutiva. Sua função é possibilitar que o cliente, no papel de observador, perceba e sinta a contradição entre o conteúdo e o sentimento.

3. Espelho com cena de descarga, em que se insere o sentimento latente na forma da técnica do duplo, criando uma coerência entre o sentimento expresso e o conteúdo da mensagem.
4. Espelho com cena de descarga do sentimento manifesto, com acréscimo gradativo, em forma de duplo, do sentimento latente. Para qualquer uma das formas, o cliente sempre deve ficar na posição de observador.

## *Sentimentos corretivos*

São considerados sentimentos corretivos os decorrentes de uma quebra de expectativa do cliente em relação ao comportamento das pessoas e ao funcionamento do mundo em geral, sendo os mais comuns a desilusão, o desencanto, a decepção, a descrença e a frustração. Muitas vezes, esses mesmos sentimentos são mobilizados em alguma psicodinâmica patológica e, nesses casos, não são considerados corretivos, mas apenas sentimentos normais que foram desencadeados pela psicopatologia.

Por exemplo, um cliente com um quadro depressivo pode apresentar sentimentos de desilusão e descrença em relação à vida. Nesse cenário, eles não se configuram como corretivos, e sim como parte da sintomatologia da depressão. Outro exemplo é o de um cliente que vive frustrado por limitações ligadas a impedimentos em seu mundo interno. Também nessa condição a frustração é decorrente de uma divisão entre desejos e impedimentos do mundo interno. Podemos afirmar que, nesses casos, esses sentimentos compõem um quadro patológico e psicodinâmico mais amplo. Quando estão em função de corrigir uma expectativa, uma ilusão, uma crença ou um encanto *que não são verdadeiros*, eles são considerados *corretivos*.

A verdadeira patologia está nas falsas expectativas, nas ilusões, nos encantos e nas crenças que foram tomados como verdade no histórico formativo desse indivíduo. Lembremos que vivemos e fomos educados baseados em uma série de valores morais e religiosos que organizam, definem e consagram as relações entre as pessoas, entre elas e a sociedade e em relação ao mundo. São definições teóricas morais, baseadas nas premissas de como as sociedades e os seus componentes devem se comportar. A pergunta que se impõe é: de onde vem essa expectativa de comportamento social e individual?

No volume VII desta coleção, o tema é abordado e Victor Dias explica que todos esses comportamentos surgem da *ordem imaginada*, definida como um conjunto ficcional de mitos, convenções e critérios consensuais estabelecidos no decorrer de milênios que se tornaram referências básicas do comportamento das sociedades humanas.

Nas palavras do autor, a incorporação da ordem imaginada no conceito de identidade do indivíduo gera uma expectativa de seu comportamento, do de outras pessoas e da própria sociedade. Embora a ordem imaginada seja, muitas vezes, considerada o mundo real, não o é. Ela é formada por mitos, convenções e normas.

O mundo real não tem necessariamente de obedecer aos preceitos da ordem imaginada, nem acatá-los. Ele é como é e não como deveria ser. Dessa forma, o mundo real pode, a qualquer momento, "desobedecer" à ordem imaginada, para desespero e frustração daqueles que acreditam piamente que ela é a fiel representação do mundo. Quando isso acontece, a expectativa de comportamento é colocada em xeque, ou seja,

quando o mundo real se choca com o mundo ficcional e das convenções, leva à frustração das expectativas de comportamento, promovendo uma *angústia circunstancial*. Essas frustrações geram sentimentos corretivos. Como podemos inferir, *são sentimentos desagradáveis, porém saudáveis, porque colocam o indivíduo em contato com a realidade objetiva do mundo em que vive.*
Por isso, dizemos que:

- Desilusão corrige a falsa ilusão.
- Desencanto corrige o falso encanto.
- Descrença corrige a falsa crença.
- Frustração corrige a falsa expectativa.

São denominados *sentimentos corretivos porque corrigem as expectativas de comportamento geradas pela ordem imaginada.* São também *sentimentos saudáveis porque colocam o indivíduo em contato com o mundo real, mas sem deixar de reconhecer a importância da ordem imaginada para o convívio social.*

### Estratégia psicoterápica

1. O terapeuta precisa compreender as diferenças entre o mundo conceitual incorporado pela ordem imaginada e o mundo real tal qual ele é. Caso contrário, tende a trabalhar o sentimento corretivo como parte de uma psicodinâmica de mundo interno, geradora de angústia patológica.
2. Nesse contexto, a angústia mobilizada é sempre circunstancial. As patologias a ser trabalhadas são a ilusão, a crença, a expectativa e o encanto decorrentes das falsas

expectativas geradas e incorporadas com base no mundo ficcional da ordem imaginada.

## Sentimentos ligados às dinâmicas psicológicas

De início, podemos afirmar que todos os sentimentos, quando acoplados a uma psicodinâmica, podem ser vistos como patológicos. Porém, isso não é verdade. Os sentimentos nunca são patológicos. Patológica é a psicodinâmica em que ele está inserido, *no sentido que a patologia está na dinâmica associada e nunca no sentimento em si*.

Observamos sempre uma desproporção entre a intensidade de resposta do sentimento e a do estímulo externo desencadeante. Isso acontece porque o sentimento patológico é alimentado pela psicodinâmica subjacente, e não pela situação real de vida.

São inúmeras as dinâmicas psicológicas e patológicas que envolvem os sentimentos, o que torna impossível uma sistematização. Aqui, abordaremos as principais observadas no processo de psicoterapia: culpa, despeito, ciúme, cobiça, inveja, posse e sentimentos platônicos.

### *Culpa patológica*

O sentimento de culpa é sempre relacionado a algum tipo de acusação ou autoacusação. Obedece à configuração acusador × Eu culpado, que, se estiver no mundo interno do cliente, se apresenta como uma divisão interna.

No livro *A questão da culpa* (2018), Jaspers descreve quatro tipos de culpa:

1. Criminal: a instância de acusação e o julgamento constituem o tribunal que estabelece, em um processo formal, assessorado pelas leis vigentes, uma acusação e sua correspondente punição.
2. Política: a instância acusadora e julgadora é o poder. Cada ser humano tem uma cota de responsabilidade política sobre a forma como é governado. Cada pessoa é corresponsável pelos atos e procedimentos de seus governantes.
3. Metafísica: a instância acusadora e julgadora é um deus. Cada indivíduo é corresponsável pelas incorreções e injustiças no mundo.
4. Moral: a instância acusadora e julgadora é a própria consciência do indivíduo. Cada pessoa é responsável por suas ações. Nessas situações, existe uma autoacusação em que entram também os aspectos morais e religiosos – portanto, um deus.

*Como vimos, o sentimento de culpa é sempre decorrente de uma acusação, seja ela proveniente do mundo externo ou do mundo interno. A acusação pode ser procedente – portanto, justa – ou improcedente – logo, injusta.*

Na psicoterapia, trabalharemos, básica e principalmente, com a culpa moral quando a acusação ou autoacusação é procedente; e com a culpa patológica quando ela está associada a uma psicodinâmica patológica do mundo interno do indivíduo.

*Nesse caso, a acusação patológica é improcedente e injusta e estamos diante de uma divisão interna.* A configuração da divisão interna está sempre relacionada a um Eu culpado × uma figura de mundo interno (FMI), acusadora.

O acusador pode ser uma figura de mundo interno ou, então, um acusador externo injusto, que ficou acoplado às acusações da FMI. Lembremos que esta é constituída por modelos internalizados e valores morais e religiosos adquiridos.

Dessa forma, a culpa religiosa é consequência de conceitos religiosos adquiridos pelo indivíduo e incorporados a ele. É improcedente na divisão interna, pois está ligada a valores internalizados, e não ao seu verdadeiro Eu.

A estratégia psicoterápica para manejar uma divisão interna desse tipo são as perguntas-chave do terapeuta:

- Qual é a acusação geradora da culpa?
- Qual é a autoacusação geradora dessa culpa?

Respondidas essas questões, o profissional pesquisará o conteúdo da acusação para, depois, identificar a devida FMI acusadora. A resolução desse tipo de culpa se dá pela conscientização e pelo enfrentamento da FMI acusadora pelo Eu verdadeiro do indivíduo, que é o acusado.

E como ficam as defesas do psiquismo? Se elas não existissem, esse enfrentamento seria normal e corriqueiro. O que acontece normalmente é que a acusação pode entrar no mundo interno de duas formas:

1. A dinâmica acusatória foi incorporada ainda na fase cenestésica e, nesses casos, ficou misturada com o Eu do indivíduo. É a situação que ocorre com a figura internalizada em bloco (FIB).
2. A dinâmica acusatória é fruto de conceitos morais ou religiosos adquiridos na fase psicológica do desenvolvimento

que contrariam o verdadeiro Eu, que vira material excluído, retido na segunda zona de exclusão.

Quando a acusação ou autoacusação é procedente, o sentimento de culpa está atrelado a reflexões, envolvendo remorso ou arrependimento.

A configuração interna não envolve mais as figuras de mundo interno, e sim um cara a cara do indivíduo consigo mesmo: *Eu (culpado)* × *Eu (acusador)*. Nesse caso, o terapeuta trabalhará para que o cliente aceite sua responsabilidade na acusação em questão. Mesmo que a parte culpada tente se defender ou se justificar, diante de uma culpa procedente, o Eu verdadeiro sabe, em seu cerne, que essa acusação é verdadeira. Aqui, estamos falando da culpa moral.

Sendo assim, o sentimento de culpa se alivia quando o cliente:

- aceita a responsabilidade por suas ações que causaram esse tipo de acusação;
- busca a reparação possível e tenta se retratar na forma de pedidos de desculpas ou correção dos danos causados, se houver possibilidade. Quando são situações em que não há mais como acessar as vítimas da ação danosa, fazemos a reparação por meio de cenas de descarga, utilizando a técnica do espelho.

Em resumo, na psicoterapia, observamos dois tipos de culpas:

1. Eu × FMI ou FIB – Com acusações ou autoacusações injustas e improcedentes, temos uma *culpa patológica*.
2. Eu × Eu – Com acusações justas e procedentes, temos, então, uma *culpa real* ou *moral*.

## Despeito patológico

O sentimento de despeito pode ser desencadeado em várias situações de vida, sendo as principais as que envolvem *importância* e *escolhas*.

Quando a importância e o reconhecimento estão em jogo, a pessoa, por algum tipo de impedimento de mundo interno (medo, incompetência, impotência etc.), evita se colocar em teste na realidade. Ao não se testar, não entrar no jogo, mobiliza o sentimento de despeito em relação àqueles que se arriscaram ou ousaram se testar e, muitas vezes, saíram vencedores.

O despeito é sempre um sentimento ambivalente, em que o despeitado admira e, ao mesmo tempo, quer destruir o objeto do despeito. Sente raiva e desvaloriza a importância ou o reconhecimento que o outro, que se arriscou, conseguiu. Ele o admira e gostaria de ter essa mesma importância e reconhecimento.

O despeito, portanto, envolve os binômios:

- Admiração × destrutividade.
- Desejo × raiva.

Uma pessoa despeitada admira o brilhantismo e a competência de alguém em determinada circunstância ou função e não aceita não ter esse mesmo brilhantismo, tendo sido testada ou não. Por exemplo, um professor titular começa a ver seu aluno residente se sobressair e ganhar importância na vida acadêmica. O professor, ao mesmo tempo que admira e até ajuda, muitas vezes dificulta ou menospreza a carreira brilhante do seu antigo discípulo, em função de um sentimento de despeito que foi mobilizado.

Situações de vida que envolvem escolhas, nas quais a pessoa em questão foi a preterida, e não a escolhida ou preferida, podem mobilizar o sentimento de despeito. Observamos esses fatos com alguma frequência nas relações amorosas e profissionais. Por exemplo, um jogador de futebol que não foi escalado para um jogo importante pode desencadear um sentimento de despeito em relação ao que foi escolhido, mesmo concordando com a decisão.

Nos vínculos amorosos, quando ocorre uma separação, a pessoa preterida pode mobilizar um sentimento de despeito em relação à outra que foi a escolhida. O fato de ter de acatar uma situação de ser preterido independentemente da sua vontade gera situações muito graves, chegando até mesmo a desencadear crimes passionais.

O sentimento de despeito se torna patológico quando se manifesta como uma *defesa de emoção reativa*, que, nesse contexto, funciona como defesa narcísica, na medida em que tem a função de manter acesa a chama do desejo, da ilusão narcísica, de sustentar o Eu idealizado e preservar o conceito de identidade inalterado, apresentando um conteúdo emocional manifesto e outro latente. No conteúdo emocional manifesto, essa emoção reativa de despeito surge como um coquetel de sentimentos, que se manifestam sempre de forma destrutiva: ódio, ressentimento, inveja, vingança e raiva. No conteúdo latente, o sentimento original é sempre de tristeza e impotência ao acatar o não real, ter de perder a ilusão e aceitar a realidade que lhe é adversa.

A pessoa despeitada não aceita não ser especial, não ser importante, não ser a escolhida; enfim, não aceita o não da realidade. Sendo assim, investe em manter a ilusão de ser especial e de que o desejo ainda se realizará. Atua nisso de forma destrutiva, infernizando a vida do outro, difamando sua imagem, manipulando com dinheiro, relacionamento, filhos etc. Muitas vezes, também mobiliza a sedução para reconquistar e, como vingança, rejeitar em seguida. Não se configura uma sedução por amor, mas sim uma competição com a pessoa escolhida. O Eu narcísico não suporta ter de admitir que foi preterido, e o despeito é o sentimento utilizado para evitar essa constatação.

Estratégia psicoterápica

A técnica principal é a utilização do espelho com cenas de descarga do material latente.

A cena de descarga do material manifesto não só não resolve como também estimula e intensifica o conteúdo emocional manifesto, presente no sentimento de despeito.

## *Inveja patológica*

A inveja é um sentimento natural que compõe, com todos os outros sentimentos, a essência emocional do ser humano. Em seu valor essencial, é a manifestação de raiva e revolta contra as injustiças sociais, os privilégios de alguns e os talentos individuais.

O sentimento de inveja nasce quando uma pessoa se compara com a outra e percebe nela a existência de algo que deseja para si e não pode ter – por exemplo, beleza, inteligência, saber, poder, posição econômica, *status* profissional etc.

Embora bastante comum, a inveja não ocorre apenas em relação a objetos e bens materiais. Essa dinâmica de comparação pode acontecer entre os pares – por exemplo, irmãos, amigos, executivos que ocupam posições equivalentes, pessoas da mesma posição hierárquica ou entre pessoas de posição hierárquica superior.

Partindo da definição da inveja ligada às injustiças sociais, poderíamos supor que o igualitarismo e a isonomia seriam, então, a fórmula mágica para aplacá-la. No livro *A inveja nossa de cada dia* (2001, p. 142), Joaci Góes apresenta um interessante ponto de vista ao elaborar a seguinte consideração: "O igualitarismo é um projeto utópico, porque a natureza é toda perversamente desigual, não havendo nela um único ser igual ao outro".

A eliminação da desigualdade entre os homens é impossível, como bem sabe o cristianismo, que se apoiou no amor, assim como o populismo demagógico e o socialismo, ambos apoiados na inveja. O autor cita uma precisa afirmação de Rui Barbosa no discurso "Oração aos moços" (1999, p. 26): "Mas, se a sociedade não pode igualar os que a natureza criou desiguais, cada um, nos limites de sua energia moral, pode reagir sobre as desigualdades nativas, pela educação, atividade e perseverança. Tal a missão do trabalho".

Continua Joaci Góes (2001, p. 143):

> [...] o igualitarismo seria uma manobra através da qual as pessoas tentam mitigar sua inveja, pela conversão das diferenças em semelhanças. O desejo utópico de uma sociedade igualitária não pode ter outra origem que a incapacidade de seus membros de lidar com a própria inveja e com a inveja presumida dos integrantes menos afortunados dessa mesma sociedade.

E, quanto ao princípio da isonomia, a igualdade de todos perante a lei é mais formal do que real, porque sempre haverá alguns que estarão em melhor situação do que outros e podem aproveitar as oportunidades concretas em função de múltiplos fatores, como a inteligência, a saúde física e mental, a motivação, a família, os amigos e assim por diante. Todos largam ao mesmo tempo, mas alguns, os mais aptos, assumem a liderança ao longo da corrida. Sabemos que o progresso humano, em qualquer época, dependeu sempre de um número reduzido de pessoas. A cultura avançada só se constrói com o trabalho de uma minoria criativa.

Na terapia, observamos, muitas vezes, que o núcleo de inveja do cliente é instrumentalizado por meio de suas posições políticas e sociais e se manifesta pela emoção reativa de revolta em relação às injustiças da sociedade. Manifesta-se também nas relações interpessoais, a partir da dinâmica de comparação.

No aspecto emocional, esse sentimento é sempre destrutivo. Ao invejoso não interessa melhorar sua vida, mas sim destruir a felicidade alheia. Para ele, já que não pode ter ou usufruir dessa alegria, só lhe resta querer que o outro não a tenha. O invejoso não só se sente mal com o sucesso do outro como sente prazer quando esse sucesso se transforma em fracasso.

A parábola reproduzida a seguir ilustra bem o aspecto destrutivo da inveja: certa vez, um homem invejoso de seu vizinho recebeu a visita de uma fada, que lhe ofereceu a chance de realizar um desejo, desde que o vizinho recebesse o benefício em dobro. O invejoso então pediu que a fada lhe arrancasse um olho. Moral da história: para o invejoso, o prazer de ver o outro se prejudicar prevalece sobre o próprio desejo.

O invejoso atira contra os outros, mas fere a si próprio, portanto a pessoa que ele mais prejudica é a si mesmo. Além disso, não mede esforços para tirar ou destruir o que faz o outro feliz, não importando se é um objeto, um relacionamento ou seu prestígio e reputação.

Difamar a reputação do outro por meio da fofoca e da intriga ou, nos tempos atuais, das famosas *fake news* é uma das formas mais perversas da expressão da inveja. Nesses casos, ela pode estar presente no coquetel de sentimentos do despeito.

A inveja ganhou forte conotação moral com o tempo. Graças à religião católica, adquiriu o *status* de pecado capital, tornando-se o mais inconfessável e renegado deles. Na tentativa de amenizar a conotação moral/religiosa, vários eufemismos foram inventados, tais como "inveja boa". Temos ainda o popular uso dos termos "olho gordo", "olhar oblíquo" ou "mau-olhado" para se referir a ela.

À medida que esse sentimento adquiriu uma conotação diabólica, foi se tornando proibido, oculto, silencioso, sorrateiro e inconfessável. Entretanto, não podemos esquecer que ele faz parte da natureza humana. E, como tal, deve ser tratado na psicoterapia.

Quando vinculada a uma psicodinâmica específica, a inveja pode ser diagnosticada como patológica, estando a patologia na psicodinâmica à qual esse sentimento está atrelado. Essa psicodinâmica é sempre uma divisão interna, em que o impedimento para usufruir está localizado no mundo do indivíduo. Ela é sempre desproporcional à situação real de mundo externo. Por exemplo, uma pessoa poderia ter um carro igual ao de seu amigo, mas, por algum impedimento interno, não compra ou não consegue ter esse bem. Porém, desenvolve uma inveja pelo carro do amigo, ou melhor, uma inveja da felicidade que supõe que o amigo sinta por ter o referido carro. Esse fenômeno de ter um desejo (o carro) e um impedimento interno (não poder ter o carro) constitui uma divisão interna cuja resultante é a mobilização do sentimento de inveja.

Outra situação: a pessoa possui todos os recursos internos para adquirir o mesmo saber e o *status* profissional do colega de trabalho, mas tem também um impedimento que a faz não se esforçar para obtê-los. Esse impasse pode ser um gerador de inveja de seu colega.

No primeiro exemplo, o indivíduo sabe que, por mais que trabalhe, nunca conseguirá ter um carro como aquele, enquanto no segundo o outro sabe que, por mais que se esforce e estude, não terá a inteligência do colega. Nesses casos, o impedimento é real e de mundo externo. A inveja resultante é um sentimento normal. Na inveja patológica, o impedimento é de mundo interno e desproporcional à realidade do mundo externo.

Na psicoterapia, sempre que trabalhamos com a dinâmica da inveja patológica, deparamos com alguma configuração de divisão interna do tipo Eu (desejo ou necessidade do indivíduo) × FMI (impedimento por uma figura de mundo interno).

## Estratégia psicoterápica

Inveja natural: manejo verbal ou auxiliado por técnicas de espelho, a fim de que o cliente identifique e nomeie o sentimento presente. Resolução: aceitar ou conformar-se com o impedimento de mundo externo para, com isso, mudar sua posição de injustiçado.

Inveja patológica: identificação e trabalho com a divisão interna por meio de técnicas apropriadas (espelho desdobrado, cenas de descarga etc.); identificação do impedimento de mundo interno que impõe essa proibição e enfrentamento da figura de mundo interno responsável pela proibição. Resolução: permitir-se fazer a própria vontade e usufruir dela.

## Cobiça patológica

A cobiça, no seu valor essencial, é ligada ao desejo de igualdade, no sentido de ser igual ao outro ou ter o que o outro tem. É um sentimento legítimo baseado na admiração e, muitas vezes, funciona como estímulo para ter o que admira.

O principal mecanismo presente na cobiça é a imitação. Copiar o outro é uma forma de expressar a admiração. Só se imita quem se admira. Sendo assim, o indivíduo passa a copiar o outro na sua forma de falar, de se vestir, de se comportar, procura ter objetos iguais etc. Deseja ser igual a quem admira, no extremo desejo de ser a pessoa admirada.

O sentimento de cobiça, quando vinculado a uma psicodinâmica específica, pode ser diagnosticado como *cobiça patológica*, estando a patologia na dinâmica, e não no sentimento. A observação clínica tem nos demonstrado que a cobiça patológica ocorre em função de uma psicodinâmica específica de *autodesvalorização sistemática do Eu, de seus próprios objetos, bens materiais, competências e até do próprio jeito de ser.*

O sentimento da pessoa que manifesta cobiça patológica é sempre o de desvalorização: "Se é meu, então não tem valor". Quando o Eu é desvalorizado, todo o restante ligado ao Eu também o é.

O mecanismo central presente na cobiça patológica do Eu desvalorizado indica a existência de uma figura de mundo interno (FMI) que pode estar acoplada a inúmeras dinâmicas psicológicas de mundo interno, como crítica, descaso, desmerecimento etc., a ser pesquisadas na psicoterapia. A configuração da divisão interna pode ser Eu × FMI (que desvaloriza). Essa divisão interna é de difícil manejo na terapia porque, na maioria dos casos, surge como uma *divisão interna compactuada*, que é caracterizada pelo Eu do indivíduo frequentemente concordando com a FMI que o desvaloriza. Dessa forma, a manifestação é só a desvalorização, sem muito questionamento nem possibilidade de desdobramento.

A divisão interna também pode ser Eu × Eu (desvalorizado). Por exemplo, uma pessoa com cobiça patológica admira e deseja ter (cobiça) um carro igual ao do amigo. Compra um carro igual e só começa a ver defeitos no veículo, os quais não via antes. A situação diferente é que, agora, aquele carro é dele, e não mais do amigo. Se o carro é meu, ele é imediatamente desvalorizado, pois o Eu está desvalorizado.

Uma cliente admirava e cobiçava a camisa branca de suas amigas, por isso comprava várias, exatamente iguais às delas. Cada vez que as vestia, porém, sentia que não era igual. Achava que, nela, a camisa ficava amarelada, e não branca. Esse exemplo ilustra bem a divisão interna compactuada presente na cobiça patológica. A cliente nem se dá conta de que existe um lado desvalorizador; sente a desvalorização como um todo.

A diferença em relação à cobiça natural é que, no primeiro caso, ao ter o carro igual ao do amigo, o indivíduo se sente satisfeito com o carro. No segundo caso, ao vestir a camisa, ela continua branca, igual à das amigas, apesar de a cliente enxergá-la amarelada.

A literatura psicológica está repleta de confusão entre os sentimentos de inveja e os de cobiça. Por vezes, são descritos como se fossem sinônimos. A cobiça com frequência é confundida com e definida como ambição.

Quando as pessoas falam em "inveja boa", estão na verdade se referindo à cobiça, e não à inveja. São sentimentos de natureza totalmente diferentes:

- Cobiça – Desejar o que o outro tem ou o que o outro é.

- Inveja – Não suportar que o outro tenha algo e tentar destruir ou fazer algum tipo de comentário destrutivo a respeito do objeto ou fato em questão.

Em relação à psicodinâmica, a inveja e a cobiça patológicas também apresentam divisões internas diferentes:

- Cobiça patológica – Dinâmica de autodesvalorização do Eu.
- Inveja patológica – Impedimento do mundo interno de usufruir das coisas e ter prazer.

A compreensão equivocada de que cobiça e inveja são a mesma coisa é um grave erro clínico, pois ela dificulta ou compromete o manejo, a pesquisa da divisão interna e, em consequência, todo o trabalho terapêutico.

ESTRATÉGIA PSICOTERÁPICA
1. Trabalho focado na divisão interna Eu × FMI, que desvaloriza.
2. Identificação da figura de mundo interno.
3. Confronto com a devida FMI. Caso a divisão externa esteja compactuada com o Eu × Eu que desvaloriza, utilizar as técnicas de clareamento e interpolação de resistência com a FMI para evidenciar a divisão. Em seguida, usar as técnicas de espelho desdobrado.

## Ciúme patológico

O ciúme é um sentimento natural e apresenta um valor essencial ligado ao zelo e aos cuidados quando existe uma relação com um objeto de amor. Quando acoplado a uma dinâmica de triangulação mal resolvida, torna-se *patológico*.

Apresento aqui uma breve explicação sobre a fase de triangulação para embasar a compreensão de sua dinâmica. A triangulação é uma fase de desenvolvimento psicológico (de 3 a 5 anos) caracterizada pela entrada de um terceiro elemento nas relações até então diádicas da criança, modificando seu padrão relacional com as outras pessoas. A relação diádica é o modelo da relação mãe-filho, em que predomina a sensação de amor, aceitação e confiança incondicional. No processo normal de triangulação, a entrada de um terceiro elemento, que na maioria das vezes é o pai, é temida e, ao mesmo tempo, desejada tanto pela mãe como pela criança. Porém, sempre ocasionará uma perda e um ganho. A perda se refere à sensação de amor incondicional, que só existe no mundo infantil. O ganho se refere à libertação da restrição que a relação diádica impõe, possibilitando a ampliação para a relação triangular e grupal com outras pessoas.

*A fase de triangulação implica uma mudança do padrão relacional da criança.* É um processo complexo que envolve várias dinâmicas psicológicas do casal como casal e como pais da criança e, ainda, inúmeras configurações relacionais entre pai, mãe e filho.[1]

A resolução saudável da fase de triangulação implica o desmonte da relação diádica e abre caminho para as relações múltiplas e sociais. Entretanto, uma resolução não satisfatória pode ocasionar o *ciúme patológico, que é uma sensação permanente de ameaça de perda do objeto amado pela ação de um terceiro elemento.* Pode ser desencadeado por:

---

[1] Ver o capítulo "Triangulação e ciúme" do livro *Análise psicodramática* (1994), de Victor Dias.

- uma pessoa real que tem relação afetiva com a pessoa amada (filho, amigo, colega etc.);
- uma pessoa real que o ciumento acredita ter algum interesse afetivo pela pessoa amada;
- uma pessoa real que teve, em tempos passados, um relacionamento com a pessoa amada;
- qualquer pessoa fantasiada pelo ciumento, fruto de sua permanente sensação de ameaça e do medo de perder a pessoa amada.

Muitas vezes, a ameaça não chega a ser uma pessoa; por vezes, é um livro (que a pessoa amada está lendo), um esporte, um trabalho etc. Enfim, qualquer coisa ou atividade de que a pessoa amada goste muito e para a qual ela dedique seu tempo e atenção.

O que caracteriza o ciúme patológico é que *o terceiro elemento ameaçador está permanentemente na cabeça do ciumento, e não na realidade*. Esse terceiro elemento fantasiado apresenta características que, muitas vezes, são aspirações idealizadas pelo ciumento.

Embora o ciúme patológico seja desproporcional à realidade objetiva do ciumento, ele é proporcional à sua vivência na fase de triangulação. Assim, ao mesmo tempo que a pessoa vive a relação amorosa no presente, ela revive, sem se dar conta, sensações da fase de triangulação mal resolvida, reeditando, na fantasia, os sentimentos que ficaram gravados durante esse período e revivendo a expectativa de retorno das vivências de amor, dedicação e confiança incondicional experimentados na relação diádica.

Para o ciumento patológico, a relação de amor não existe sem a ameaça de perda. Amar é um desejo, mas, quando ama, começa a viver um tormento. O ciúme patológico só será resolvido quando o cliente puder associar o seu tormento no presente com as sensações vivenciadas no passado, em sua fase de triangulação mal resolvida. Esse é o objetivo da psicoterapia.

## Estratégia psicoterápica

A técnica de escolha é a cena triangular, criada e sistematizada especificamente para esses casos. A cena-chave da dramatização para tratar do ciúme patológico é, portanto, uma cena triangular entre o cliente (ciumento), a pessoa amada (objeto de amor) e o terceiro elemento (fantasiado ou nomeado).

O manejo psicodramático da cena triangular é pesquisar todas as relações existentes na fantasia do ciumento. No caso de o terceiro elemento ser uma pessoa fantasiada, construiremos e nomearemos, no contexto dramático, o perfil dela. Caso o ciúme patológico seja em relação a uma atividade ou um objeto, também configuraremos e daremos nome e função a esses elementos durante a dramatização.

**Figura 1** – Cena triangular

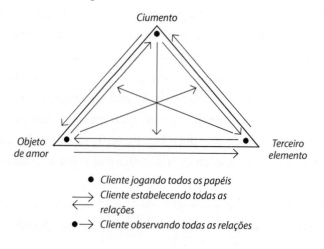

A técnica específica para o manejo da cena triangular é a de tomada e inversão de todos os papéis presentes na cena, inclusive do terceiro elemento fantasiado ou do objeto ou atividade ligado ao ciúme.

O terapeuta deve investigar todas as seis configurações presentes na cena triangular uma ou mais vezes até que esta fique bem caracterizada. Embora a cena triangular possa ser feita no psicodrama bipessoal, somente com o terapeuta, o cliente e as almofadas, é aconselhável a contratação, para essa dramatização específica, de um terapeuta auxiliar (ego auxiliar).

## Ciúme patológico × sentimento de posse

A literatura psicológica descreve com frequência ciúme patológico e posse como sentimentos equivalentes, criando termos como ciúme exagerado, ciúme extremo ou ciúme possessivo. Na psicoterapia, observamos que ambos apresentam uma psicodinâmica diferente. Essa diferenciação é importante para oferecer ao terapeuta as diretrizes para o tratamento.

Como vimos, o ciúme patológico é baseado na sensação constante de ameaça de perda devido à interferência de um terceiro elemento, que se encontra na fantasia do ciumento. Origina-se na má resolução da fase de triangulação no desenvolvimento psicológico do indivíduo. Já o *sentimento de posse refere-se ao sentimento de propriedade em relação a uma pessoa ou objeto*. Apresenta uma psicodinâmica decorrente da fase cenestésica do desenvolvimento, mais especificamente na fase de estruturação do modelo de defecador.[2] É durante a formação

---

2 Ver o capítulo "Desenvolvimento psicológico segundo o núcleo do Eu" do livro *Psicodrama: teoria e prática* (1987), de Victor Dias.

desse modelo que ocorre a ligação entre os modelos de ingeridor e de defecador; entre os conteúdos incorporados e os depositados; entre o limite oral (ingeridor) e o anal (defecador), separando o mundo interno do externo.

Nessa fase, a criança (de 8 meses a 1 ano e 2 meses) deposita seus conteúdos internos sólidos e tridimensionais (cocô) no ambiente externo e passa a identificar todos os objetos sólidos e tridimensionais do mundo exterior como produção sua. Os objetos depositados inicialmente ficam identificados como uma extensão do seu próprio Eu, passando a fazer parte de suas posses e a ser profundamente identificados consigo mesmo. Esse sentimento de posse é vivenciado de forma intensa, com a mistura de que: É meu = É Eu (sou Eu). O mundo sou Eu. Tudo que existe no mundo é posse minha, veio de mim, portanto sou Eu = é meu. O mundo é meu, o mundo sou Eu.

Uma boneca, por exemplo, é Eu, significando que faz parte do Eu, é uma extensão do Eu. Ela está investida do sentimento de posse. Pegar a minha boneca, portanto, é uma interferência ou uma invasão no meu Eu. É por esse mecanismo que a criança, nessa fase, não empresta seus objetos. Eles não são sentidos como simples objetos, e sim como parte do Eu. Esse apego não tem nada de patológico – ninguém empresta o seu Eu.

No decorrer do desenvolvimento, a criança tende a levar tudo à boca e experimentar. Esses objetos levados à boca estão carregados de forte sentimento de posse e intimidade. À medida que não são incorporados, fazem parte do mundo exterior, portanto do não Eu. Nesse processo, acontece a separação do não Eu e a noção de que algo que me pertence é meu, mas não sou Eu. A má resolução dessa fase (modelo de defecador e diferenciação da área ambiente) resulta da manutenção do sentimento de posse, da mistura do "é meu" com "sou Eu", da onipotência infantil e de um intenso medo de perda.

A dinâmica de ameaça de perda é bastante diferente da ameaça de perda sentida no ciúme patológico. Nesse caso, não existe a ameaça de entrada de um terceiro elemento, é simplesmente a perda da sensação de posse. É uma dinâmica decorrente da relação diádica, e não de relação triangular.

O adulto possessivo continua a sentir determinadas coisas ou pessoas como uma extensão do seu Eu, confundindo, portanto, o "é meu" com o "sou Eu". Assim, um perfume ou um namorado continuam imbuídos da sensação de "sou Eu", ou, ainda, uma pessoa valoriza em proporções absurdas objetos usados por celebridades, como se esses objetos estivessem imbuídos do Eu da pessoa famosa.

A associação da noção do Eu às pessoas torna as relações carregadas de conflitos. Podemos observar esse fenômeno nas relações de amizade, mas, principalmente, nas amorosas. A pessoa possessiva, ao mesmo tempo que vive angustiada com o medo de perda iminente, causa um verdadeiro tormento para o outro. Partindo da sensação de mistura entre o "é meu" e o "sou Eu", precisa saber tudo do outro, o tempo todo: onde está, aonde foi, o que está fazendo, o que está pensando, aonde vai etc.

A partir dessa diferenciação, podemos até falar em ciúme possessivo. A psicodinâmica a ser tratada na psicoterapia é referente ao sentimento de posse, e não ao ciúme patológico.

Estratégia psicoterápica

- Ciúme patológico: utilizar a cena triangular para resolver a fase de triangulação.

• Sentimento de posse: trabalhar o modelo de defecador, possibilitando ao cliente entrar em contato com o sentimento de perda e, dessa forma, diferenciar o "é meu" do "sou Eu".

## *Sentimentos platônicos*

O termo platônico surgiu com os ensinamentos de Platão ao examinar o amor nos diálogos apresentados no livro *O banquete*. Platão criou a teoria do mundo das ideias, em que tudo é perfeito, ao contrário do mundo real, onde tudo é uma cópia imperfeita desse mundo das ideias. Sendo assim, amor ou qualquer outro sentimento platônico refere-se a algo perfeito, mas que não existe no mundo real, só no campo da imaginação, constituído de fantasia e idealização.

Essa expressão passou a ser utilizada no vocabulário popular como sinônimo do amor impossível ou inatingível. A conversão original dos termos "amor platônico" em "amor impossível" levou a um erro de uso coloquial e muito frequente.

Resgato aqui o sentido original para embasar a compreensão sobre a psicodinâmica das vivências platônicas. Na análise psicodramática, elas se apresentam de duas maneiras: como *devaneios* ou como *platônicas*.

*Devaneio* é um desdobramento da fantasia ligado ao desejo ou à necessidade do indivíduo. É sempre um indicativo do desejo e antecede a fase de planejamento. Faz parte do mecanismo do modelo de urinador: fantasia, devaneio, planejamento, controle, decisão e execução de ações no ambiente externo que gratifiquem desejos ou necessidades internas.

Uma das patologias desse modelo leva a um bloqueio nesse mecanismo, no sentido de não transformar o devaneio em planejamento ou, então, de passar do devaneio diretamente para a ação, sem a elaboração do planejamento. Dessa forma, as sensações de gratificação do prazer ou das necessidades ficam incompletas e continuam a ser sentidas apenas por meio do devaneio.

*Vivência platônica* é uma dinâmica psicológica na qual a pessoa cria na imaginação uma vida paralela perfeita para evitar o contato com a realidade. Essa vida paralela funciona como um refúgio da vida real, povoada de frustrações, angústias, limitações e conflitos. A pessoa foge para o futuro, na fantasia, para evitar o presente na realidade.

A estrutura da vivência platônica é idealizada e os sentimentos são mobilizados nesse enquadre de vivência paralela. Eles são sentidos e experienciados, não apenas imaginados. É sempre uma vivência agradável e compensatória.

A vida paralela funciona como um mecanismo compensatório que, em consequência, bloqueia o desenvolvimento da vida real. Pode ser composta de vários aspectos, como uma vida paralela platônica profissional, familiar ou amorosa.

Em relação ao vínculo amoroso, observamos vários tipos de amor platônico compreendido como idealizado, e não como impossível. O indivíduo pode se apaixonar:

- por um ídolo;
- pelo personagem ou artista de um filme;
- por alguém que só viu uma vez;
- por uma pessoa com quem teve um relacionamento no passado.

De qualquer forma, a dinâmica é sempre a mesma: idealiza tanto uma pessoa que acaba por se apaixonar por uma versão dela que, na realidade, não existe.

O mecanismo que alimenta a vida paralela platônica é a idealização. A função psicológica é sempre evitar o confronto com a realidade e compensar as frustrações da vida real, buscando gratificação e prazer nas fantasias de futuro.

A vida paralela pode durar anos, e, aos poucos, vários sentimentos vão sendo envolvidos e passam a fazer parte da vivência platônica. Os mais comuns são os sentimentos agradáveis e passíveis de idealização, tais como amor, amizade, cumplicidade, sucesso, admiração, valorização, importância, felicidade etc.

## Estratégia psicoterápica

Observamos na psicoterapia que essas vivências paralelas (devaneio e platônica), por serem ambas do campo da imaginação, podem confundir o diagnóstico do terapeuta e, em consequência, o próprio tratamento. Seus respectivos procedimentos são:

- Devaneio
  - Conscientizar o cliente do mecanismo de fuga do contato com a realidade.
  - Tratar a patologia do modelo de urinador.

- Vivência platônica
  - Conscientizar o cliente da função da vida paralela de fantasia.
  - Elucidar a contradição entre a vida paralela platônica e a vida real.
  - Ajudá-lo a buscar gratificação na realidade para aproximar-se o máximo possível das gratificações imaginadas na vivência criada.

A partir desse procedimento, a vida paralela começa a perder força e vai sendo desmontada na sequência. No caso do amor platônico:

- Utilizar o mesmo manejo apresentado anteriormente.
- Quando possível, estimular o cliente a correr o risco de checar na realidade sua vivência platônica.

É comum acontecer uma forte decepção, seja porque a pessoa na vida real é muito diferente da sua versão idealizada, seja porque o cliente constata que a pessoa não nutre os mesmos sentimentos por ele.

Só é necessário tratar as vivências platônicas quando estas bloqueiam o desenvolvimento psicológico na vida real.

# 4. A psicoterapia com dependentes químicos
## Victor R. C. S. Dias

Este capítulo apresenta uma proposta da análise psicodramática no enfoque da psicodinâmica e no tratamento dos dependentes químicos, proposta essa radicalmente diferente daquela da psiquiatria clínica até então vigente. É um jeito novo de enfocar um assunto antigo e já bastante estudado.

A visão da psiquiatria clínica é a de que *o dependente químico é um doente, sendo sua doença o vício que ele apresenta em relação às drogas*. Nesse enfoque, o indivíduo adquire a condição de vítima e as drogas passam a ter responsabilidade em suas ações e atitudes, sendo muitas vezes demonizadas.

Já a proposta da análise psicodramática é a de que *o dependente químico se utiliza das drogas para fugir de seus encargos e responsabilidades, sendo tais substâncias um álibi para justificar seus procedimentos e condutas.* Assim, o indivíduo deixa de ser vítima e a droga não é mais a responsável por suas atitudes. Entendemos que as verdadeiras vítimas são as pessoas que dependem de, interagem, vivem e negociam com e dão suporte ao dependente químico. Nesse caso, as drogas se tornam os instrumentos de fuga que ele utiliza para burlar suas responsabilidades.

Essa proposta da análise psicodramática é embasada na nossa experiência clínica e na postura dos Alcoólicos Anônimos (AA). Ali, o dependente químico é responsabilizado por suas atitudes, inclusive aquelas tomadas sob a ação de drogas. Sabemos que tal proposta é diferente daquelas tradicionais da psiquiatria clínica e até mesmo de muitas publicações já lançadas pela Editora Ágora, mas optamos por mantê-la.

Este texto é uma continuação do Capítulo 4 do livro *Psicologia e psicodinâmica na análise psicodramática, volume V*.

Na análise psicodramática, classificamos as drogas psicoativas em:

1. Euforizantes: cocaína, *ecstasy*, MDMA, *crack*, anfetaminas etc.
2. Relaxantes ou narcóticas: álcool, maconha, haxixe, heroína, ópio etc.
3. Alucinógenas: LSD, *ayahuasca* (daime), mescalina, cogumelos mágicos (psilocibina) etc.

Todas elas podem ter uso recreativo quando utilizadas esporadicamente, principalmente em ocasiões sociais, festas, *raves*, *shows* etc.

Consideramos dependentes químicos os indivíduos que fazem uso da droga de maneira constante e sistemática, de forma que ela passe a fazer parte da psicodinâmica de seu psiquismo.

Algumas dessas drogas podem, além da dependência psicológica, causar também dependência física. São elas: a cocaína, o *crack*, o álcool, as anfetaminas, a heroína, o ópio etc. Essa dependência causa síndromes de abstinência quando a droga é retirada e precisa ser considerada quando o uso da droga é interrompido.

## A AÇÃO DAS DROGAS EUFORIZANTES E RELAXANTES E A PSICODINÂMICA PSICOLÓGICA ENVOLVIDA

### Drogas euforizantes

As drogas euforizantes agem principalmente no humor do indivíduo. Seu uso provoca uma melhoria em qualquer estado de humor, propiciando sensação de euforia, disposição e bem--estar. No uso recreativo, proporcionam um clima de festa. São muito utilizadas por profissionais cujas atividades os obrigam a estar sempre bem-dispostos, alegres e ativos, mesmo quando não estiverem no clima emocional para tal.

Nos dependentes dessas substâncias, a droga passa a ser consumida *para evitar o contato com os climas afetivos internos conflitados, propiciando euforia e "alto astral", muito diferente do clima emocional real.*

Ao causar esse clima induzido artificialmente, a droga euforizante evita, mascara e impede que o indivíduo se volte para o seu mundo interno real, evitando um "cara a cara" com seus verdadeiros sentimentos e seu humor. Dessa forma, *o vício em drogas euforizantes se transforma em uma rota de fuga dele mesmo.*

Em termos técnicos da análise psicodramática, podemos dizer que o vício em drogas euforizantes *aborta os sintomas da depressão neurótica e impede qualquer tipo de depressão de constatação.* Lembremos que a depressão neurótica é um conjunto de sintomas que "chamam a atenção" do indivíduo para observar que algo não está indo bem em seu mundo interno. Ela é um chamado para a reflexão e introspecção para contatar conteúdos internos que estão querendo emergir e se tornar conscientes.

A depressão de constatação é a resolução da depressão neurótica. É o estabelecimento de contato e conscientização desses conteúdos que estavam emergindo no mundo interno, normalmente evitados porque, no geral, mostram o lado menos nobre e vitimizado do indivíduo. É o contato com seu lado egoísta, irresponsável, inconsequente, aproveitador, cruel, invejoso, incompetente, prepotente e outros tantos sentimentos negativos, porém humanos. Muitas vezes, também está ligada a culpas e arrependimentos por atitudes tomadas ou omissões ocorridas durante a vida.[1]

**Figura 1** – Depressão neurótica e depressão de constatação

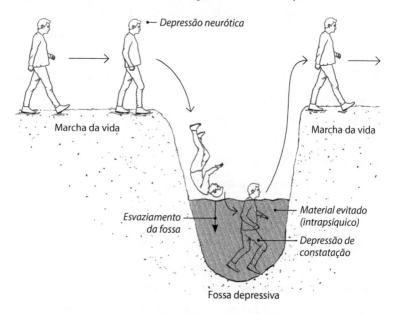

---

[1] Para saber mais a respeito da depressão neurótica e da depressão de constatação, consulte o volume VI desta coleção.

Ao evitar, por meio do uso das drogas euforizantes, o contato com o seu mundo interno, o indivíduo se torna um fugitivo de si mesmo e, ao mesmo tempo, fica impedido de se conscientizar desses conteúdos e de elaborá-los, perdendo a oportunidade de modificar o próprio comportamento. Esse é o principal dano psicodinâmico do vício em drogas euforizantes, independentemente dos danos físicos que muitas delas provocam em maior ou menor grau.

## *Drogas relaxantes*

As drogas relaxantes agem principalmente nos processos mentais do indivíduo, provocando uma desaceleração dos pensamentos e um entorpecimento mental – por isso são chamadas também de narcóticas ou entorpecentes. Causam ainda alteração das percepções.

O uso recreativo das drogas relaxantes provoca uma diminuição do estresse e, com isso, vem uma calma e leveza, principalmente mental. É bastante utilizada nos famosos *happy hours*, depois de atividades mentais estressantes. É o momento de relaxar após algum tipo de tarefa ou ao final de um dia de atividade ou estudo.

Nos dependentes químicos, a droga passa a agir entorpecendo o pensamento e as atividades mentais, tais como preocupações, autocobranças, autoexigências, adequação a valores morais, compromissos etc. Assim, eles se desligam um pouco da realidade, das preocupações financeiras, dos compromissos profissionais, de estudo, de tarefas, da preocupação com a família, dos filhos, dos negócios e de tudo que cria estresse mental. O entorpecimento da cabeça permite a postergação, ou seja, deixar para pensar depois, se iludir com a ideia de que em outro momento pensará no assunto. Assim, *a droga relaxante passa a funcionar como uma rota de fuga perante os compromissos.*

É comum que indivíduos neuróticos, principalmente os que apresentam neuroses que causam agitação mental, pensamentos intrusivos, preocupações desnecessárias ou desproporcionais à realidade, figuras de mundo interno (como cobradores, envenenadores, terroristas, conselheiros e atormentadores em geral) e defesas mentais (defesas de ideias obsessivas e ideias depressivas), comecem a utilizar as drogas relaxantes para se livrar do excesso da atividade mental e acabem por ficar dependentes. Na verdade, usam-na como "medicamento". Nesses casos, as drogas relaxantes apresentam um efeito benéfico, que é o de desacelerar os pensamentos, mas este logo é perdido pelo posterior entorpecimento da pessoa.

Os neurolépticos apresentam o efeito de desacelerar a cabeça (pensamentos) sem entorpecê-la posteriormente. Muito pelo contrário, eles ajudam o indivíduo a ficar focado e centrado nos seus pensamentos.

Em resumo, podemos dizer que o vício em drogas relaxantes permite fugir, postergar, adiar ou, até mesmo, não assumir seus compromissos e responsabilidades. No caso de alguns indivíduos neuróticos, é possível que sintam um alívio momentâneo, porém enganoso, de suas neuroses.

## Tratamento

O tratamento dos dependentes de drogas euforizantes e relaxantes apresenta três aspectos: a postura do terapeuta, o suporte clínico – tanto na supressão da droga (síndrome de abstinência) como nas comorbidades associadas – e o tratamento psicoterápico dos aspectos psicológicos envolvidos no vício.

## *A postura do terapeuta*

Existem grandes divergências entre a postura da psiquiatria clínica e a da análise psicodramática diante dos dependentes de drogas euforizantes e relaxantes. A psiquiatria clínica adota a premissa de que o dependente químico é um doente e o uso da droga é sua doença. Dessa forma, tende a demonizá-la tanto para o usuário como para seus familiares, reforçando a postura de vítima geralmente assumida pelos dependentes químicos. Esse diagnóstico é muitas vezes utilizado por eles como justificativa para uma série de atitudes que não têm nada que ver com a utilização de drogas, como seu egoísmo, suas irresponsabilidades e seu descaso para com normas e compromissos. As famílias, contaminadas por essas justificativas, passam, muitas vezes, a sustentar, minimizar e acobertar tais irresponsabilidades em função do diagnóstico de dependente químico. Essa postura acaba influenciando também as equipes de tratamento, os serviços hospitalares e as clínicas.

A análise psicodramática parte da premissa de que o dependente químico utiliza a droga como rota de fuga para evitar o contato com seus conteúdos internos, fugindo de seus conteúdos menos nobres e, por isso mesmo, mais incômodos. Foge das responsabilidades, dos compromissos e das consequências que essa fuga acarreta. Evita o contato com o egoísmo, a incompetência, a preguiça, a prepotência, a dependência e, principalmente, a irresponsabilidade. Por vezes, abusa da família, dos serviços públicos, das organizações sociais e da própria sociedade em geral. Ajuda o crime organizado e burla as leis e as regras, colocando-se na posição de vítima. Tem uma noção bastante clara de que está fugindo e, muitas vezes, não se empenha em tentar se autoencarar – esse empenho acaba sendo das equipes de tratamento e dos familiares para tentar, de forma totalmente ineficiente, controlar a procura e a utilização da droga, porém sem sucesso, pois o indivíduo é dependente, na realidade, do mecanismo de fuga (e isso é consciente).

Sua doença é tornar a fuga uma postura habitual na sua vida.

A análise psicodramática não aceita essa conduta de discutir o uso, a quantidade e a frequência do uso da droga: ela passa a dar ênfase especial ao mecanismo de fuga. Com isso, não discutimos por que a pessoa faz uso de substâncias, e sim por que e de que está fugindo.

### *O suporte clínico*

Aqui, também, a postura da análise psicodramática difere da postura das clínicas para dependentes químicos.

As clínicas apresentam, em geral, um corpo clínico bastante eficiente no sentido de desintoxicar e recuperar a saúde física do paciente. Dificilmente ocorrem casos, como no passado, de pessoas com síndromes de abstinência ou comorbidades evidentes. A excelência do corpo clínico e os medicamentos de última geração permitem um restabelecimento físico de ótima qualidade.

O grande problema que detectamos está no acompanhamento psicológico que segue a postura clínica tradicional de demonizar a droga e isentar de responsabilidade o dependente químico. Dessa forma, a psicoterapia acoplada à desintoxicação, que deveria trabalhar facilitando um cara a cara do indivíduo com seus conteúdos negativos, acaba se tornando uma psicoterapia de apoio. Esta não leva em conta a psicodinâmica da pessoa de utilizar a droga como rota de fuga, e sim uma utilização consciente e deliberada, com os ganhos secundários correspondentes. Parte do princípio errado de que o dependente é uma vítima que não consegue se controlar e, assim, recai no vício. Sendo assim, a psicoterapia, que deveria aproveitar a oportunidade para realmente tratar da pessoa, transforma-se em uma maquiagem de conselhos e reforço da posição de vítima. *Ressalto que, na nossa visão, ao contrário da postura praticada na maioria das clínicas para dependentes químicos, eles não são vítimas, mas pessoas que fogem das próprias responsabilidades.* Assim, a psicoterapia nessas clínicas transforma-se em um enorme desperdício de tempo e de recursos humanos e financeiros.

Uma grande exceção ocorre com a organização dos Alcóolicos Anônimos (AA), que, apesar de não fazer o tratamento clínico de desintoxicação, promove uma psicoterapia voltada para o dependente, que é obrigado a se expor diante do grupo, assumir todas as irresponsabilidades praticadas durante o uso das drogas e desculpar-se pelos danos ocasionados por egoísmo e inconsequência. O grupo também orienta as famílias a "não passar a mão na cabeça" do alcóolatra, e sim deixar que ele assuma as responsabilidades pelo uso da droga.

A postura adotada na análise psicodramática é semelhante à do AA. Consideramos que as clínicas, os serviços sociais e os serviços públicos deveriam manter a excelência que já possuem em relação à reabilitação física e à desintoxicação, mas devem mudar radicalmente a postura psicoterápica no sentido de deixar de vitimizar o indivíduo, fazendo-o encarar suas irresponsabilidades e incompetências, além de orientar as famílias, que normalmente acabam reféns dele, a não vê-lo como vítima, e sim como alguém que evita encarar seus conflitos internos.

## *O tratamento psicoterápico*

Aqui também a postura da psicoterapia na análise psicodramática é diferente das outras psicoterapias, mais centradas na postura da psiquiatria clínica.

*As psicoterapias centradas na postura da psiquiatria clínica* também dão grande importância à conduta do cliente no uso ou não uso da droga. A droga fica demonizada como algo ruim e grande parte da psicoterapia procura fazer o cliente evitar seu uso e retomar a vida cotidiana. Os terapeutas da psiquiatria clínica também apresentam um entendimento que aceita a vitimização do cliente e a dificuldade que ele relata de evitar o uso da droga ("não consigo evitar", "é mais forte do que eu", "recaí de novo" etc.). Instruem a família ou os responsáveis a vigiá-lo e monitorá-lo, no sentido de evitar o consumo das substâncias, o que, muitas vezes, não surte efeito, pois o cliente consegue burlar a vigilância com os mesmos argumentos – mantendo, assim, a família como refém.

*As psicoterapias centradas na análise psicodramática* adotam a premissa de que a droga é boa para o cliente, pois favorece uma rota de fuga para que ele consiga evitar seus conteúdos menos nobres – no caso das drogas euforizantes – ou entorpecer a cabeça para não pensar em cobranças, responsabilidades ou, até mesmo, em dinâmicas neuróticas que necessitariam ser tratadas – no caso das drogas relaxantes.

Sendo assim, os terapeutas da análise psicodramática adotam a seguinte postura já no início da psicoterapia com dependentes químicos, ou clientes, que apresentam essas características:

a. Uma explicação sobre o funcionamento psicodinâmico do uso da droga e da função de *rota de fuga*. Dessa forma, evitamos a vitimização.
b. Fim das discussões sobre o uso ou não da droga nas sessões de psicoterapia. Cada vez que o cliente menciona que voltou a utilizá-la – ou recaiu, como eles preferem dizer –, imediatamente questionamos os motivos que ocasionaram essa nova fuga. A sessão é sobre as fugas, e não sobre as drogas. A partir daí, tratam-se os componentes e impedimentos ligados a esses conteúdos. Não se fala mais de droga na sessão psicoterápica, e sim de fuga.
c. Na orientação familiar, faz-se o mesmo esclarecimento de que a droga é apenas uma rota de fuga. Assim, a família é estimulada a cobrar respeito e responsabilidade do dependente químico. Muitas vezes, indicam-se algumas sessões de psicoterapia familiar para que todos estejam mais sintonizados e coesos com a postura adotada.

## *Ação das drogas alucinógenas e a psicodinâmica psicológica envolvida*

### Drogas alucinógenas

As drogas alucinógenas facilitam o acesso do indivíduo aos conteúdos de seu mundo interno, incluindo nesse contato o material excluído da primeira e segunda zonas de exclusão.

Lembremos que o material excluído da primeira zona é composto de vivências cenestésicas constituídas principalmente de sensações e tamponadas pelos vínculos compensatórios, enquanto o material da segunda zona é constituído de vivências (sentimentos, percepções, pensamentos e intenções) que se chocam frontalmente com o conceito de identidade do indivíduo. Sugerimos a leitura da teoria de programação cenestésica apresentada no volume VII desta coleção.

Os métodos utilizados para acessar o material excluído, na análise psicodramática, são as técnicas do espelho, as cenas de descarga, a decodificação de sonhos, o psicodrama interno, a sensibilização corporal e as técnicas reflexivas em geral.

No processo psicoterápico, *o material excluído da primeira e segunda zonas de exclusão deve ser acessado e, posteriormente, ancorado e integrado no conceito de identidade e na identidade propriamente dita do indivíduo – caso contrário, ele permanece como uma vivência paralela.* Para que essa integração aconteça, as contradições e divisões internas do conceito de identidade devem ser trabalhadas e flexibilizadas de forma que permitam essa integração.

*As drogas alucinógenas induzem o acesso* às *vivências do mundo interno, independentemente de serem apenas reflexivas, e ao material da primeira ou segunda zona de exclusão.* Esse acesso é feito na forma de imagens, percepções alteradas e sensações, mas, em outros momentos, de forma onírica e alucinatória.

Essas vivências, uma vez acessadas, deveriam ser ancoradas, decodificadas, assimiladas e integradas, tanto no conceito de identidade como na própria identidade do indivíduo. Quando isso não acontece, elas permanecem como *vivências paralelas.*

As drogas alucinógenas não produzem dependência física, como algumas euforizantes e relaxantes, mas seu uso continuado, sem o devido cuidado, pode trazer consequências sérias:

1. Dependendo da intensidade e frequência do uso da droga alucinógena, a quantidade de material excluído pode se tornar significativa.

2. Se o material excluído em dose significativa não for devidamente ancorado e assimilado, ele pode se tornar uma quantidade grande de vivências paralelas.
3. As vivências paralelas não ancoradas podem ter três destinos:
   a. ser ancoradas na esfera mística, criando assim uma série de comportamentos místicos como forma de fundamentar esse material que foi mobilizado;
   b. ser ancoradas no corpo, podendo desencadear manifestações somáticas (contraturas, torcicolos) ou até mesmo defesas e doenças psicossomáticas;
   c. desencadear defesas no psiquismo, tais como: defesas intrapsíquicas (fóbicas, histéricas, conversivas, contrafóbicas, psicopáticas, de atuação, ideias depressivas, ideias obsessivas, rituais compulsivos), defesas esquizoides (robotização, esquema de personagens, petrificação ou coisificação) e defesas psicóticas (paranoides, hebefrênicas e catatônicas). Podem ainda desencadear defesas dissociativas ou surtos esquizomorfos.

## Tratamento

Determinadas entidades, como a doutrina religiosa de Santo Daime, congregam pessoas que tomam o chá de *ayahuasca*, mas em doses moderadas e com assistência de outros membros, em uma tentativa de elaboração e assimilação do material acessado.

Na análise psicodramática, fazemos uma explanação do funcionamento dos alucinógenos e das vivências paralelas de material excluído. Com essa abordagem, passamos a trabalhar com as contradições presentes no conceito de identidade e na identidade do cliente para abrir espaço para que o material excluído, já mobilizado pelo alucinógeno, possa ser decodificado, elaborado, assimilado e integrado. Na medida em que a psicoterapia progride, o material excluído vai sendo gradativamente integrado.

# 5. A técnica do espelho aplicada a clientes psicóticos

*Cecília Attux*

A esquizofrenia é um transtorno mental grave e incapacitante que atinge indivíduos no auge do potencial produtivo. Entre os transtornos psicóticos, é o mais frequente, acometendo de 0,3% a 0,7% da população em geral, iniciando-se comumente no fim da adolescência e no início da vida adulta. Apresenta como característica a presença de sintomas psicóticos, apatia e isolamento, o que leva a prejuízos no funcionamento social e ocupacional, nas relações interpessoais e na vida independente, de acordo com Mueser e McGurk (2004). Neste capítulo, abordaremos o uso da técnica do espelho no tratamento de pacientes psicóticos.

## MODELO DE ESQUIZOFRENIA SEGUNDO A ANÁLISE PSICODRAMÁTICA

De acordo com a análise psicodramática, a esquizofrenia é considerada um distúrbio do conceito de identidade do indivíduo (Dias, 2006). O conceito de identidade do paciente com esquizofrenia é composto de vários conceitos de identidade mutuamente excludentes. Dessa forma, a esquizofrenia é um transtorno do psiquismo organizado e diferenciado (POD).

A referência utilizada foram os estudos sobre comunicação de Watzlawick, Beavin e Jackson (1973). A comunicação tem um aspecto de conteúdo e de relação, de tal forma que o segundo classifica o primeiro e é, portanto, uma metacomunicação. Os autores utilizam os conceitos de confirmação, rejeição e desconfirmação e enunciam a teoria do duplo vínculo, desenvolvida por Gregory Bateson e Donald Jackson, que trata da interação entre um parente e o filho com esquizofrenia. Essa interação consiste em transmitir ao filho mensagens incompatíveis (ou até mesmo antíteses), como rejeitar uma aproximação física enquanto pergunta "por que você não demonstra mais afeto?" Esse modelo de comunicação leva a uma situação sem saída de ser criticado tendo ou não determinada atitude, o que deixa o indivíduo paralisado. Bateson e Jackson postularam que uma exposição repetida a esse dilema poderia contribuir para o surgimento ou agravamento da esquizofrenia (McGlashan e Hoffman, 2000).

Segundo Watzlawick, Beavin e Jackson (1973), os pacientes com esquizofrenia comportam-se como se tentassem negar que estão comunicando e, depois, acreditam ser necessário que a negativa seja também uma comunicação. Na esquizofrenia, acontece um padrão usual de desconfirmação. Esta, tal como encontramos na comunicação patológica, deixa de se interessar pela verdade ou falsidade da definição de Eu do indivíduo, negando a realidade dele. Enquanto a rejeição significaria, por exemplo, "você está errado", a desconfirmação seria "você não existe". Em termos formais, se a confirmação e a rejeição do Eu fossem igualadas aos conceitos de verdade e falsidade, a desconfirmação corresponderia ao conceito de indecisão. A desconfirmação do Eu pelo outro é o resultado de um desconhecimento peculiar das percepções interpessoais, chamado de impermeabilidade. Tipicamente, segundo os autores, o pai ou a mãe não registram o ponto de vista do filho, enquanto o filho não registra que o seu ponto de vista não foi (e talvez não possa ser) registrado.

Tanto a desconfirmação como a dupla vinculação são distúrbios de comunicação, portanto estão ligados à fase psicológica. Não são climas afetivos e, dessa forma, a análise psicodramática entende que a esquizofrenia não é uma patologia da fase cenestésica, e sim da fase psicológica.

No desenvolvimento normal do indivíduo, a comunicação é feita com base na confirmação e na rejeição. Na formação do conceito de identidade, ele registrará em seu POD suas vivências, seus conceitos, suas deduções e a incorporação de modelos (assimilação de modelos psicológicos das pessoas que convivem com ele), além de uma série de conceitos morais adquiridos. Na análise psicodramática, chamamos de figuras de mundo interno (FMI) os modelos incorporados e os conceitos morais adquiridos. Os conceitos adquiridos irão compor o Eu verdadeiro, enquanto os conceitos que se opõem serão excluídos, formando a segunda zona de exclusão. Dessa maneira, o indivíduo pode conviver com dois conceitos de identidade: como ele se vê, sente e percebe, e como os outros acham que ele é ou deveria ser. Esses modelos são passíveis de restruturação posteriormente.

No caso de um padrão de comunicação baseado em desconfirmação, ele convive com seu conceito de identidade (como se vê, sente e percebe), mas, devido à intensa dependência emocional, acaba reconhecendo o conceito de identidade de terceiros como seu próprio. Assim, existe um conceito de identidade dividido, ambivalente e paradoxal, e o indivíduo não consegue discriminar o que é do Eu verdadeiro e o que veio de fora (conceitos adquiridos).

O impacto desse conceito de identidade dividido é uma falta de "chão psicológico" e de um padrão de referência confiável. Os pacientes começam a utilizar como referência os instintos e as percepções que são saudáveis.

## Mecanismos de defesa psicóticos

Em termos de mecanismos de defesa intrapsíquicos, os pacientes com esquizofrenia utilizam não só as defesas intrapsíquicas usuais, mas também as psicóticas, que têm a função de evitar o contato psicológico com sua confusão e com a desorganização do conceito de identidade ambivalente. Enquanto a defesa intrapsíquica tem como função evitar contato com uma parte do Eu, a psicótica impede o contato com o Eu inteiro, desviando o indivíduo do POD dele. São defesas mais graves que as intrapsíquicas e podem ocorrer tanto em neuróticos como psicóticos.

### *Defesa paranoide*

Derivada da defesa de ideia depressiva, consiste em um debate sem fim a respeito da percepção, das intenções e das motivações do outro. É um debate centrado no mundo externo com o propósito de evitar o contato com o mundo interno. Essa defesa pode ser utilizada por pacientes não psicóticos, quando a depressão é tão acentuada que a defesa de ideias depressivas não aguenta, acionando a paranoide.

Por exemplo: uma paciente urinadora, em determinado momento da terapia, começa a mobilizar uma defesa paranoide em relação às suas irmãs no sentido de sentir-se rejeitada e deixada de lado por elas, expandindo essa vivência no consultório, sentindo-se deixada de lado em uma conversa na qual a terapeuta, a secretária do consultório e ela participavam, mas acreditando ser ela o assunto da terapeuta e da secretária.

## Defesa catatônica

Derivada da defesa fóbica, é uma evitação acentuada de todo o contato com o mundo exterior e o mundo interno, de modo a não mobilizar nenhuma conduta, opinião ou posicionamento, evitando o contato com a ambivalência. A defesa catatônica corta o sentir em todos os níveis, como uma paciente fóbica que, em determinado momento da terapia, começou a alegar que se sentia "como se estivesse morta".

## Defesa hebefrênica

Derivada das defesas de ideias obsessivas e de rituais compulsivos, evita toda e qualquer reflexão a respeito das posturas e condutas próprias e dos outros. O indivíduo age sem pensar e pensa sem refletir, sendo pueril e evitando o contato com a ambivalência. Uma pessoa com essa defesa não consegue voltar para si próprio – inclusive diz frases como "de vez em quando fico meio bobo, não entendo as coisas".

## Uso do espelho

O manejo de um paciente com esquizofrenia com técnicas psicodramáticas é visto com cautela por alguns profissionais. Existe uma preocupação de que o uso de técnicas como a do espelho possa piorar seu quadro clínico por colocá-lo em situação de exposição.

Na análise psicodramática, no entanto, acredita-se que o espelho pode mobilizar a parte saudável do indivíduo e, até mesmo, a crítica em relação ao delírio, o que auxiliaria no processo do tratamento.

Entre as diversas técnicas de espelho descritas, as escolhidas são o espelho que retira, o espelho com cena de descarga e o espelho desdobrado. No caso do espelho que retira, o objetivo é retirar a fala do cliente para que, em seguida, surja uma nova – e assim por diante. O terapeuta assume o lugar do cliente e repete a fala dele em direção a uma almofada ou cadeira (que seria o lugar do profissional). Após o espelho, o terapeuta pesquisa as associações, os sentimentos e as lembranças suscitadas no cliente.

O espelho com cena de descarga é a técnica na qual o terapeuta, utilizando o espelho, possibilita a descarga das falas e dos sentimentos do cliente para pessoas do mundo externo e figuras de mundo interno (Silva, 2010). No espelho desdobrado, as divisões internas do cliente são evidenciadas, separando dois lados (*ibidem*).

Ao avaliar atendimentos feitos a pacientes psicóticos e alguns casos de supervisão, podemos fazer algumas considerações, visto que a técnica do espelho se mostrou útil no atendimento dos pacientes em alguns pontos:

## a) Elaboração do episódio psicótico resgatando memórias esquecidas

Ao fazer o espelho e retomar a história das crises, inclusive da primeira, o paciente pode recontar e elaborar o surto. Apesar de serem sessões com forte carga emocional, falar sobre as crises e os sintomas leva a um alívio, segundo os pacientes, além de gerar uma reorganização do material psicótico. Muitas vezes, é doloroso recordar essas vivências, mas é importante para uma maior aceitação do quadro.

## b) Questionamento dos delírios e das alucinações

O espelho coloca o paciente na posição de observador, mais neutra (desaquecida), facilitando o questionamento dos delírios e das alucinações. Por exemplo, um paciente psicótico, ao ouvir o terapeuta repetindo a fala das vozes acusando-o de enviar um cartão de memória com imagens obscenas para um amigo, começa a achar que é uma situação absurda e que "deve ser por causa da doença". No caso de outra paciente, cuja grande queixa era a de se expor, o trabalho com o espelho e a separação entre ela e as vozes possibilitaram que percebesse que as críticas que apareciam eram provenientes muito mais de seu mundo interno do que das pessoas com quem convivia.

## c) Levantamento de material mais profundo

O uso do espelho possibilita que temas mais delicados possam ser abordados. Muitas vezes os pacientes psicóticos, em um primeiro momento, não expõem esses conteúdos ao terapeuta. Como exemplo, citamos o caso de um cliente que relatou estar tudo bem durante a consulta, porém, quando perguntado sobre a família, mencionou que o pai estava internado na UTI e a mãe, na enfermaria. Ele acabou tendo uma crise na semana seguinte.

### d) Fortalecimento da parte saudável

A técnica do espelho mobiliza o lado saudável do indivíduo, auxiliando no questionamento em relação às ideias delirantes e às alucinações. O fortalecimento da parte saudável e a nomeação da ambivalência (lado crítico × paciente, vozes × paciente) ajudam na reorganização do conceito de identidade proposto por Dias (2006).

### e) Separação no contexto dramático de figuras geradoras de conflito

No caso de uma paciente muito religiosa, com delírios místicos e que ouvia a voz de Deus, foi muito importante deixar uma almofada ou cadeira separada no *setting* e não incluir Deus na dramatização. Já no caso de um paciente com medo do demônio e das vozes extremamente críticas que ordenavam que ele se matasse foi utilizada uma estratégia diferente: o espelho da terapeuta enfrentando as vozes e o paciente apenas no lugar de observador. Ele até dizia à terapeuta que ela poderia ter alguma razão para defendê-lo das vozes, mas fazia uma aliança e dizia que as vozes estavam certas a respeito dele. O diabo ficou representado em outra cadeira; não foi abordado nem participou da dramatização, o que deixou o paciente mais seguro.

## f) Limitações e desafios

Para algumas pessoas, como uma paciente que ficou bastante incomodada e começou a dar risada, não trazendo nenhum conteúdo após o espelho, a técnica pode não ser indicada. No caso de indivíduos com delírios muito persecutórios, é importante estabelecer uma boa aliança terapêutica antes de propor técnicas. Talvez seja necessário ter mais tempo de atendimento até a realização do espelho ou mesmo evitá-lo para não mobilizar defesa.

Além disso, é interessante avaliar a resposta em pacientes com subtipos de esquizofrenia, como a hebefrênica (com maior desorganização e puerilidade), e até mesmo a existência de alguma indicação para a realização de espelho físico no caso de esquizofrenia catatônica.

A proposta da análise psicodramática no tratamento da esquizofrenia é continência externa, medicação e reorganização do conceito de identidade. Dias (2006) propõe, dentro da reorganização, algumas estratégias:

1. Nomear a ambivalência: muitas vezes o paciente tenta nomear o conceito adquirido como "as vozes". Essa estratégia ajuda a separar o conceito adquirido e ajuda no momento em que é necessário o confronto. Nessa etapa, o espelho está indicado.
2. Valorizar as sensações e as intuições que são a parte saudável da pessoa com esquizofrenia: devemos tomar as sensações e intuições como referência para identificar e discriminar o Eu verdadeiro.
3. Procurar as "verdadeiras explicações": uma vez nomeado o conceito adquirido e confrontado com o verdadeiro Eu, começamos a identificar as verdadeiras explicações:

quem realmente perseguiu o paciente? Quem realmente controlou seus pensamentos?

Essa proposta está de acordo com o trabalho de Abramson (2010), que descreve quatro princípios a ser observados no tratamento de pacientes com sintomas psicóticos: segurança na situação de terapia; empatia como forma de entender o paciente e evitar problemas de contratransferência; validação da situação terapêutica, aumentando a segurança e promovendo o fortalecimento do ego, sendo uma "pessoa de verdade" em vez de um psicanalista tradicional distante e formal; e "internalização transmutadora" como a maneira na qual o processo terapêutico promove o desenvolvimento de um *self* mais forte, capaz de viver em uma realidade convencional.

## Considerações finais

O uso da técnica de espelho pode trazer muitos benefícios. Além disso, permite ao terapeuta ter maior controle da sessão e ser mais ativo. Fazer o espelho e colocar o indivíduo apenas no papel de observador pode auxiliar e evitar o superaquecimento. O paciente em geral sente-se ouvido e percebido após a técnica, o que fortalece a aliança terapêutica. Iniciar o atendimento confrontando o lado crítico/negativo também ajuda.

Em resumo, a análise psicodramática pode ser uma psicoterapia de escolha para pacientes com esquizofrenia, desde que observados alguns cuidados. A possibilidade de aprofundar as dinâmicas e o uso de técnicas mostram-se interessantes para alguns pacientes, sobretudo aqueles com melhor capacidade de organização e discernimento.

# 6. As condutas e os procedimentos gerais para o início da psicoterapia

Elza Medeiros Carneiro da Silva

Este capítulo propõe orientar o psicoterapeuta no início de uma psicoterapia. Embora esse tema tenha sido desenvolvido em vários livros de Victor Dias, o objetivo aqui é aprofundá-lo, além de registrar as mudanças de atuação e conduta do profissional em função de algumas alterações no mundo atual.

Houve várias mudanças nos consultórios de psicoterapia nos últimos anos, da ausência de recepcionistas para marcar consultas ao contato entre pacientes e psicoterapeutas por aplicativos. O mundo virtual possibilitou uma aproximação útil em muitos momentos, como nas crises circunstanciais; porém, quando o processo não foi bem observado e conduzido, houve uma contaminação prejudicial ao processo psicoterapêutico.

Serão revistos neste capítulo temas como: indicação ou encaminhamento para psicoterapias; quem não é indicado para realizar atendimento de psicoterapia; contato com o cliente fora do enquadre; diferenciação de *setting* e enquadre; contaminação do *setting*; entrevista inicial; contato com familiares e amigos do cliente; avaliação de condutas de outro profissional da área; psicoterapias subvencionadas; e psicoterapia virtual. Parecem condutas óbvias e manejos fáceis, mas, se não atentarmos para determinados procedimentos, pode-se prejudicar ou inviabilizar o andamento de todo o trabalho. O foco aqui não é engessar as condutas e os procedimentos do psicoterapeuta, mas enumerar alguns aspectos que contribuirão para um bom início do processo.

O trabalho de um psicoterapeuta é como o de um cirurgião; porém, não se usa um bisturi concreto, e sim um feito de clima terapêutico para adentrar o psiquismo do cliente – "local" delicado e sensível. Para tanto, essa entrada precisa estar autorizada pelo paciente e acordada com o psicoterapeuta, por meio da aliança e do clima terapêuticos. A postura do psicoterapeuta é vital, base de todo o processo para que a aliança terapêutica seja sempre a *rede de sustentação* na qual o cliente possa se lançar com segurança em seus conteúdos excluídos tanto da segunda como da primeira zona de exclusão.

Nossa proposta é indicar caminhos, utilizando a base teórica da análise psicodramática e anos de estudo e vivência clínica em consultórios para propor manejos e condutas na vinculação do início de uma psicoterapia.

## CONTATO E AGENDAMENTO DA PRIMEIRA SESSÃO

O início da psicoterapia ocorre no momento em que o indivíduo decide procurar o profissional. Esse momento é de intensa mobilização emocional e de fantasias a respeito do terapeuta – do qual ouviu falar, viu ou ouviu em algum evento. Ocorre também um momento de autorreflexão, em que o indivíduo tenta entrar em contato consigo mesmo, com a história que tem para narrar. Ele tenta organizar essa história e intuitivamente procura resultados e caminhos para o processo de busca, o qual nem sempre conhece. Tem por vezes a ilusão de que o psicoterapeuta dará todas as respostas para seus conflitos externos ou internos, como se ele fosse um oráculo ou um sabe-tudo.

Esse período que precede o primeiro contato é carregado de ansiedade e esperança. É no primeiro contato que se inicia o vínculo terapêutico, por isso sua importância é contextualizada neste capítulo. No momento atual, além de ligações telefônicas, costumam-se usar mensagens de texto em aplicativos como o WhatsApp. Esse tipo de comunicação traz, muitas vezes, material psicoterápico que deveria ser examinado nas sessões de psicoterapia, e não apenas mensagens referentes a mudanças de dia e horário dos atendimentos.

A melhor maneira de se fazer o primeiro contato para proporcionar um bom início de clima terapêutico é marcar um horário para conversar por telefone, pois isso permite esclarecer eventuais dúvidas sobre o processo. Além disso, o terapeuta deverá fazer, de maneira simples e objetiva, indicações de local (endereço), horário e honorários. Essas informações facilitam ou dificultam a permanência do paciente no tratamento, podendo também inviabilizar o andamento dos trabalhos. Muitas vezes, imbuído de ansiedade de marcar a consulta, ele não se dá conta da dificuldade de acesso ao consultório ou de futuros pagamentos, já que a psicoterapia é um processo.

Devemos sempre ter em mente que orientações simples e objetivas são importantes para estabelecer o início do vínculo entre psicoterapeuta e cliente. Assim, se o cliente insistir para que as informações sejam dadas por mensagem, obviamente não forçaremos um contato e atenderemos às solicitações por escrito. Privilegiar o contato pessoal é sempre um facilitador, mas exceções não podem inviabilizar a marcação da primeira entrevista.

## CRITÉRIOS DE INDICAÇÃO DO PSICOTERAPEUTA E ENCAMINHAMENTO DE PACIENTES

Muitas vezes nos pedem – ou sentimos necessidade de – que indiquemos e encaminhemos determinado cliente para a psicoterapia. Indicar um psicoterapeuta já exige uma conduta como profissional da área. É vital que quem indica contribua para um bom início do processo. A indicação, dependendo de como é feita, pode ser prejudicial e até inviabilizar o bom andamento da psicoterapia, pois o vínculo terapêutico começa antes mesmo de o paciente conhecer o psicoterapeuta, como vimos.

Muitos, na tentativa de não se comprometer ou pela própria formação (eu mesma fui orientada assim), indicam três nomes de profissionais. No entanto, isso confunde o cliente, que pode tentar fazer uma sessão "só para conhecer" os profissionais para depois escolher um deles. Isso pode "queimar" a psicoterapia e causar problemas, dificultando o processo. Pela nossa observação e vivência, essa conduta gera dúvidas no cliente, que já está angustiado e/ou confuso. Normalmente, quem indica tem a melhor das intenções e não percebe determinados critérios que deveriam ser avaliados.

Ao indicar um psicoterapeuta e encaminhar um cliente, precisamos considerar três fatores: perfil do cliente (idade, padrão cultural, tipo de problema etc.), a disponibilidade econômica e a localização do consultório do terapeuta.

Como, na análise psicodramática, utilizamos a técnica de espelho, na entrevista inicial o que favorece o vínculo é um ancoramento da angústia, como veremos no tópico seguinte – e, muitas vezes, esse vínculo terapêutico já fica estabelecido e consolidado na primeira sessão. Assim, uma indicação errada pode colocar cliente e psicoterapeuta em uma situação difícil se o paciente não puder continuar com o tratamento por motivo de distância e/ou financeiro. Uma segunda indicação depois de formado o vínculo nunca é muito eficiente.

Depois desses três critérios avaliados, indicamos, para favorecer um bom início, apenas *um* profissional, com a orientação de que, se o cliente não gostar dele por qualquer motivo, indicaremos outro para novo contato. Essa conduta tem favorecido um bom início da psicoterapia, pois a própria indicação não cria dúvidas para quem já está em crise ou tem dinâmicas que dificultariam a sua escolha.

## *Entrevista inicial*

Devemos estar atentos, durante a entrevista inicial, a vários quesitos:

### *Contato com as queixas do cliente*

É na entrevista inicial *que se estabelece o vínculo entre o psicoterapeuta e o cliente*. Essa afirmação parece óbvia, mas quero enfatizá-la porque, sem o vínculo bem estruturado e estabelecido, a psicoterapia não se consolidará.

Antes de o cliente chegar ao consultório, não podemos nos esquecer, como psicoterapeutas, do objetivo da psicoterapia e da definição desse processo. Não que tenhamos de dar uma aula ao nosso cliente, mas devemos instalar um clima terapêutico nesse primeiro contato.

A psicoterapia, na visão da análise psicodramática, não é aconselhamento nem condicionamento de comportamento; é um processo de busca do que faltou no desenvolvimento psicológico do cliente. Todos nascemos para ter o desenvolvimento completo, mas, quando isso não acontece, resta-nos a vida toda para encontrarmos o que intuitivamente sabemos que faltou. Fazemos verdadeiras "gambiarras" para continuarmos vivendo sem "capengar", com as nossas faltas estruturais. Buscamos, intuitiva e inconscientemente, completar o desenvolvimento do que faltou. Esse processo de busca é retomado quando o acomodamento psicológico ("gambiarras") é abalado ou rompido.

O acomodamento psicológico é mantido por vínculos compensatórios, defesa intrapsíquica e justificativas.[1] Quando o indivíduo sai desse acomodamento, entra imediatamente em contato com o processo de busca daquilo que faltou no desenvolvimento psicológico.

A porta de entrada para essa busca é a mobilização da angústia, pois, por meio dela, o psicoterapeuta pode "ler" no paciente toda a abrangência do processo de psicoterapia.[2] Essa busca se dá pela vida toda, mas na psicoterapia o processo ocorre de forma acelerada, pois o indivíduo tem uma noção do que procura. Sendo assim, ela é feita de forma sistematizada e organizada, além de ter certo controle das variáveis externas e internas.

A abrangência do amadurecimento psicológico é enorme e de difícil definição. Na análise psicodramática, tal amadurecimento

---

[1] Ver o capítulo "Projeto de busca" do livro *Psicodrama: teoria e prática* (1987), de Victor Dias.
[2] Conforme apresentado no capítulo "Abrangência da psicoterapia e amadurecimento psicológico" do livro *Psicopatologia e psicodinâmica na análise psicodramática, volume V* (2016), de Victor Dias.

ocorre quando o indivíduo consegue avaliar de forma correta as relações humanas que o cercam, o funcionamento do mundo que ele habita e seu papel nesse contexto.

Essa pequena introdução serve para, resumidamente, definir o processo que se inicia com a entrevista: "O que é psicoterapia na análise psicodramática?" Nada mais do que um processo de resgate, além de um acelerador do amadurecimento psicológico. Resgate de quê? Do material excluído localizado na primeira e na segunda zonas de exclusão do psiquismo.

Temos de lembrar e definir o papel do psicoterapeuta: conselheiro? Cuidador? Orientador? Juiz? Nenhum desses papéis serve como indicador da real função do profissional. O que se espera de um psicoterapeuta é que seja um *facilitador* para que o cliente entre em contato com os aspectos que faltaram em seu desenvolvimento psicológico.

Armadilhas como fazer o papel daquele que cuida, julga e/ou orienta indevidamente o cliente são um desserviço, pois fazemos pelo cliente o que ele precisa aprender a fazer por si. O resultado de uma psicoterapia bem-feita é provocar a relação ideal, ou seja, fazer que o paciente não dependa da relação com o terapeuta e alcance o amadurecimento psicológico.

Esses conceitos já foram apresentados em todos os volumes da coleção *Psicopatologia e psicodinâmica na análise psicodramática*, por isso convidamos o leitor a (re)visitá-los.

O cliente que busca a psicoterapia não tem, necessariamente, noção dessa busca e de todo esse processo. Geralmente a procura de maneira preventiva, no vislumbre de uma crise ou angustiado e já perdido dentro dela.

Quem precisa ter a visão de todo o processo de psicoterapia é o profissional. É função dele saber o que é psicoterapia para mostrar desde o primeiro momento, por meio de sua postura e clima, a real proposta. Na coleta de informações, o psicoterapeuta ouvirá a história do paciente com essa postura e conhecimento. Nesse momento, o profissional deverá ter tempo e disponibilidade. A melhor informação para o psicoterapeuta é aquela que o paciente tem para dar.

Não favorecemos interrogatórios, e sim conforto para que o paciente relate o que o aflige ou "aguente" o próprio silêncio. Isso não significa que não se possa perguntar – o que não se deve é interrogar. As informações importantes são aquelas que contenham o interesse do paciente, e não o do psicoterapeuta. O foco deste é identificar a angústia do cliente, como vimos.

Muitas informações que não são dadas se transformarão em conteúdos importantes no decorrer da psicoterapia, sobretudo para a autorreflexão e o autoquestionamento. A tarefa do psicoterapeuta é ser um facilitador para que o cliente possa se desinibir, se descontrair e ter intimidade consigo mesmo.

Costumo dizer que uma hora de consulta é insuficiente para "relatar uma vida", mas pode-se facilitar o primeiro contato planejando uma sessão mais longa, a fim de que o próprio psicoterapeuta não fique engessado e tenso com o eventual atraso da próxima consulta.

## *Instalação do clima terapêutico*

O clima terapêutico, como vimos, é a rede de sustentação do processo de psicoterapia, sendo de responsabilidade exclusiva do psicoterapeuta. O profissional precisa acreditar que seu paciente é tratável, e, para que isso aconteça, seu consultório deve prover, por meio de sua figura, o que faltou no desenvolvimento psicológico do cliente: *aceitação, proteção e continência*.

## Aceitação

Essa não é uma tarefa fácil, por mais óbvia que pareça essa afirmação. Aceitar as pessoas como são implica um processo, por vezes dolorido, de desilusão do psicoterapeuta em relação ao ser humano. Aceitar as qualidades e os sofrimentos dos clientes é mais fácil do que aceitar suas características negativas. Porém, tudo isso faz parte do processo.

Inveja, desonestidade, interesse, egoísmo, preguiça, vitimismo e mesquinharia são exemplos de sentimentos negativos identificados no cliente que podem chocar o terapeuta. Essa aceitação vai se tornando possível no desenvolvimento de seu papel profissional, mas para que isso aconteça ele necessita aceitar esses sentimentos nas pessoas que o rodeiam, nas que ele ama e em si mesmo. Com isso, muitas ilusões e expectativas a respeito do ser humano acabam sendo desfeitas.

O psicoterapeuta não precisa gostar do seu cliente. Porém, para tratá-lo, tem de aceitar o ser humano que está dentro dele, ou melhor, aceitá-lo como ele é para que juntos possam modificar seu comportamento – se esse for de fato o caminho da psicoterapia.

## Proteção

O clima de proteção desejado no consultório não está ligado ao ato de proteger o cliente das vicissitudes da vida; a proteção do psicoterapeuta está associada ao grau de aceitação possível emitido por ele.

A proteção tem relação com a censura. O indivíduo já se sente acusado pelos julgamentos da sociedade e dele próprio, e deve estar protegido do julgamento do psicoterapeuta. Sendo assim, não pode haver julgamento no consultório. Se isso ocorrer, o profissional também não aceitará o paciente.

Se o indivíduo é como é, há uma razão para isso. Ninguém é culpado de ficar neurótico, mas é responsável por não tratar a neurose. Por pior que seja a pessoa, quando vai a um consultório, está tentando se tratar, o que é sempre muito positivo.

## Continência

Entende-se por continência a capacidade do psicoterapeuta de conter em sua estrutura psicológica, em momentos críticos, a estrutura psicológica do cliente. Em outras palavras, o psicoterapeuta tem de usar sua parte saudável para conter a parte doente do paciente.

Em um momento de pânico, por exemplo, o psicoterapeuta "empresta", sendo continente, sua estrutura psicológica e auxilia o cliente a se estabilizar e encontrar uma saída. O profissional aguenta a própria angústia e a do cliente, sem entrar em pânico ou se desesperar.

A capacidade de autocontinência do terapeuta está relacionada a três características interligadas, descritas separadamente, por motivo didático:

*a) Vivência pessoal/experiência de vida*

A intimidade com as emoções e sensações decorrentes de vivências complexas e o desenvolvimento de um alto grau de bom senso são fatores importantes para o aprimoramento do papel do psicoterapeuta. Por esse motivo, notamos que pessoas mais velhas acabam por se sentir mais à vontade nesse papel. Obviamente, os mais jovens, com o tempo de experiência no consultório, aprendem a ter intimidade com situações de vida por meio das vivências de seus clientes. A continência só se dá quando o psicoterapeuta conhece o mundo que está dividindo com seu paciente.

*b) Grau de saúde do psicoterapeuta/tratamento*
O psicoterapeuta precisa sentir na pele o que é psicoterapia. Deve ter suas vivências conscientizadas, elaboradas e tratadas, assim como estar próximo do amadurecimento psicológico, resgatando suas zonas de exclusão – pois, à medida que enxerga corretamente a si mesmo, pode enxergar o outro sem distorções.

O profissional só pode oferecer o que possui – ele só consegue aprofundar na terapia do cliente aquilo que aprofundou na sua própria. Por exemplo, um terapeuta só é capaz de identificar e tratar uma patologia da inveja se ele já tratou a sua. Cito aqui metaforicamente uma frase de Carl Jung: "[...] o médico ferido é o que cura [...]". Saber tecnicamente o que é um distúrbio não é o mesmo que senti-lo e vivenciá-lo. Na verdade, eles são complementares – sentir ajuda tecnicamente a tratar.

Ser psicoterapeuta é uma grande responsabilidade. Precisamos estar atentos aos nossos pontos cegos, tratar nossos conflitos e estudar o ser humano o resto da vida (incluindo nós mesmos).

Depois de um tempo de atuação no papel de psicoterapeuta, o próprio consultório passa a ser terapêutico. Quando o profissional se submete à supervisão para rever seus casos, também passa por um tratamento. A supervisão trata o papel, e o psicoterapeuta se trata junto com seu paciente. Claro que questões pessoais não são compartilhadas, mas acoplar questionamentos na supervisão sobre como tratar favorece o se tratar.

*c) Conhecimento teórico/estudo*
O psicoterapeuta precisa ter noções de psicodinâmica e de psicopatologia. Isso é necessário para que não se perca na estrutura psicológica e conflitada do cliente.

O profissional necessita conhecer o desenvolvimento psicológico e diferenciar mecanismos de defesa (conversão, fobia, depressões, ideias obsessivas, rituais compulsivos) das estruturas mais arcaicas, como impulsos e sensações de estranheza no contato com as zonas de psiquismo caótico indiferenciado.

A noção de psicopatologia e psicodinâmica auxilia o terapeuta a não se desesperar e a vislumbrar saídas para a crise apresentada pelo cliente. Ter intimidade com as sensações na própria vida, por meio de sua própria psicoterapia, é insuficiente para trilhar o caminho de saída junto com o paciente. O conhecimento teórico é indispensável para tratá-lo.

É função do psicoterapeuta e sua total responsabilidade ganhar a confiança do paciente, oferecendo sua franqueza, boas intenções terapêuticas e capacidade profissional. O psicoterapeuta que conseguir um alto grau de *aceitação, proteção e continência* estará apto a estabelecer o clima terapêutico, necessário e vital para o tratamento psicoterápico.

## TRABALHO COM ESPELHO QUE RETIRA

Dentro da análise, temos vários tipos de espelho (conforme apresentado no volume III desta coleção). O espelho que retira é utilizado já na entrevista inicial.

Em um primeiro contato, o cliente tem uma história para contar. Com a utilização do espelho, ele consegue distanciar-se de si mesmo e enxergar-se de fora. Com essa distância, existe a possibilidade de sua parte sadia aparecer. Dizemos que o espelho "puxa a parte sadia", sendo observador de si mesmo.

Solicita-se ao cliente apenas que observe o terapeuta assumindo seu papel e discurso falando na direção de uma almofada (que representa o terapeuta). Orientamos que fique com a cabeça solta, observando e sentindo o próprio discurso que transmitiu ao profissional. Por vezes, o cliente se surpreende com a técnica: aprecia a memória do psicoterapeuta ou simplesmente concorda com o que este disse.

Percebemos que, ao fazer um segundo espelho do que foi observado no primeiro, o material trazido vem mais elaborado e, por vezes, já com lembranças, pequenos questionamentos sobre si mesmo ou, em alguns casos, contradições iniciais. Ao se ver "de fora", o paciente se percebe e começa a localizar a angústia que sente.

Em uma primeira entrevista, o cliente costuma estar com menos defesas; assim, o manejo é mais fácil e a vinculação ocorre de forma mais rápida por meio da técnica. Questionar-se e sentir certa dúvida sobre suas "verdades" é prenúncio de saúde. Muitas vezes, o cliente diz que nunca foi tão ouvido ou que não imaginava que se apresentasse daquela maneira, o que estreita e favorece o clima terapêutico.

Além de ser importante para o cliente, essa técnica é vital para o psicoterapeuta, pois este se aquece, "entrando" na cabeça do paciente. Isso é importante para o momento seguinte: o de ancorar a angústia.

## ANCORAMENTO DA ANGÚSTIA

Contada sua história, o cliente precisa sair da primeira entrevista com uma localização da angústia que sente e, principalmente, aliviado.

Os psiquiatras clínicos fornecem um diagnóstico sintomático que não evidencia a causa dos sintomas, mas proporciona uma localização que, na verdade, é um rótulo. O cliente sente-se localizado, pois agora o que ele sente tem nome e existe, está no Código Indicador de Doenças (CID). Além disso, ele sai com a possível "cura" – o remédio que está na receita.

O cliente tem alívio temporário do sintoma, mas sua causa não foi atingida nem mencionada. A proposta da análise psicodramática é tratá-la. Para tanto, precisamos dar ao cliente, já inicialmente, a localização da causa de sua angústia.

A *ancoragem* nada mais é do que a ligação do sintoma ou da angústia à situação de vida não resolvida geradora dos sintomas. Usamos o espelho que retira como técnica e a *ancoragem* para mostrar determinada divisão interna.

Essa ancoragem não elimina a angústia, pois esta precisa ser tratada, mas a localiza. Isso implica explicar a manifestação da angústia para promover um alívio. Por exemplo: se o cliente apresentar sintomas conversivos (tonturas, formigamentos, palpitações), é necessário explicar que se trata de um mecanismo de defesa do psiquismo ligado a algum tipo de conteúdo que está sendo mobilizado, mas ainda não pôde chegar à consciência, sendo por isso convertido em sintomas físicos independentemente de sua vontade.

Na análise psicodramática, não abrimos mão do uso de medicação. Esta é de extrema importância quando existe um superaquecimento da angústia ou muita ansiedade, por exemplo. Usamos a medicação como um auxiliar, nunca como função curativa – que na realidade não existe.

O psicoterapeuta pode indicar a medicação na entrevista inicial. Caso ele não seja médico, pode fornecer a indicação de um fitoterápico, que não exige a prescrição de receita.

Já o medicamento controlado deve ser indicado por um psiquiatra psicoterapeuta que tenha o mesmo conhecimento da análise psicodramática e que use a medicação como auxiliar. Essa indicação pode ser estudada no volume VI desta coleção.

A ancoragem na análise psicodramática é um psicodiagnóstico baseado na psicodinâmica do cliente, e não um diagnóstico baseado em sintomas.

## DEVOLUTIVA – PROPOSTA E CONTRATO DE PSICOTERAPIA

A devolutiva é um início de proposta de trabalho. Ao fazer o espelho e vincular a angústia com as possíveis causas (ancoragem), podemos localizar uma divisão interna – uma figura de mundo interno, por exemplo –, fazendo um prognóstico do que precisa ser tratado.

Localizamos o núcleo do conflito por meio da técnica de espelho e do ancoramento da angústia, dando as possíveis explicações sobre o que foi exposto. Segundo o que o cliente relatou, é preciso mostrar o que está no processo de busca ou acessar um ramal desse processo. Deve-se ancorar a angústia do cliente com os sintomas relatados e as situações de vida não resolvidas.[3]

Isso tudo é dito a título de hipótese, e, conforme a aceitação do cliente, fazendo algum sentido para ele, é possível iniciar o trabalho de psicoterapia. Essa aceitação da hipótese fornece ao psicoterapeuta a autorização implícita para terminar a entrevista inicial e passar para questões mais burocráticas e "delicadas" do contrato da psicoterapia. Esse contrato é feito de maneira simples, sendo fundamental a frequência das sessões, o local e os honorários.

---

3 Para mais informações, ver *Psicodrama: teoria e prática* (1987), de Victor Dias, p. 70.

Não assumimos uma postura preventiva em função de possíveis faltas, férias, reposições, falta de pagamento, viagens, doenças ou imprevistos, pois ela dificulta a construção do clima terapêutico. Um contrato mal estabelecido pode atrasar ou atrapalhar o processo. Se o psicoterapeuta fizer uma lista de possíveis imprevistos antecipando o acontecimento, ele promove uma prevenção contra o cliente. Dizemos que este sempre é "inocente" até que se prove o contrário.

Certas dinâmicas no *setting* – como faltas, não pagamento ou atrasos – podem ser trabalhadas durante o processo e não antecipadas no contrato. Depois de a psicoterapia já iniciada, com a proposta diagnosticada na cabeça do psicoterapeuta, temos como intuir ou prever determinadas atitudes, dependendo do tipo de personalidade do cliente.

Alguns deles precisam de um tempo maior de sessão; outros, menor. Alguns propõem pagamento antecipado; outros, a cada sessão. Não nos engessemos e aceitemos a proposta, não esquecendo que quem está no comando da psicoterapia é o terapeuta, que pode ser flexível, mas deve manter a direção do processo.

Os honorários são cobrados para que o profissional possa viver de forma compatível com seu nível de formação e treinamento. A relação terapeuta-cliente é complementar, em que cada um tem um papel diferente e não igualitário. O psicoterapeuta ajuda a acelerar o processo de busca do paciente e de seu amadurecimento psicológico.

As combinações do contrato são simples, verbais, embasadas na confiança. O mais importante é o estabelecimento do tipo de relação que perdurará durante toda a psicoterapia: o terapeuta vestido de seu papel profissional e o cliente despido do seu papel social para acessar o que ele realmente é.

## FREQUÊNCIA DAS SESSÕES

A matriz da análise psicodramática é o psicodrama, teoria de Moreno que propõe tratar grupos com atos psicodramáticos, e não fazer uma psicoterapia processual de média ou longa duração. A psicoterapia processual vem da escola psicanalítica, que indica uma ou várias sessões semanais. Na análise psicodramática, houve uma flexibilização da frequência das sessões. Inicialmente, tomou-se como referência a proposta do psicodrama argentino de sessões semanais. Com o desenvolvimento da teoria, passamos a indicar a frequência levando em conta as necessidades do processo e do próprio cliente.

De início, indica-se uma frequência maior para a construção do vínculo terapêutico e o estabelecimento das psicodinâmicas básicas do tratamento. Depois de estabelecido o clima terapêutico no *setting*, a frequência das sessões pode ser diferenciada: quinzenal, mensal ou quando houver necessidade. Nesses casos, o cliente decide marcar as sessões dependendo de sua necessidade – seja por situações no mundo externo, pelo surgimento de sonhos a ser decodificados ou por qualquer outro motivo que ele considere relevante.

A forma de trabalhar da análise psicodramática, com o uso de técnicas já na entrevista inicial e outras durante o processo, favorece a identificação e a resolução rápida do núcleo do conflito trazido pelo cliente, que abre caminho para o trabalho posterior com o material latente, acessado sobretudo pela decodificação dos sonhos.

Não precisamos ficar presos ao critério de sessões semanais: podemos fazer sessões espaçadas e, à medida que uma crise se instalar, seja por questões de mundo externo ou de mundo interno, voltamos às semanais.

Orientamos, já na entrevista inicial, a começar o processo em sessões semanais e, dependendo do esvaziamento da crise, passar a sessões quinzenais. Se necessário, retomamo-las com mais frequência.

## A DIFERENCIAÇÃO ENTRE SETTING E ENQUADRE TERAPÊUTICO

O *setting* terapêutico *é um espaço virtual em que a relação psicoterapeuta-cliente acontece; portanto, não se trata de um espaço físico.*
Esse espaço virtual pode ser acionado tanto pelo psicoterapeuta como pelo cliente, independentemente do local. Uma vez acionada a relação terapêutica, o psicoterapeuta precisa vestir imediatamente seu papel profissional, estabelecendo o clima terapêutico de aceitação, proteção e continência em função do seu cliente. No *setting*, este está fora das normas do mundo exterior e pode se expressar livremente, ao passo que o terapeuta está engessado no papel profissional.

O enquadre terapêutico *é o local físico, previamente acordado, onde a relação terapêutica acontecerá. É o espaço onde normas e procedimentos são determinados (horários, local, frequência, faltas, duração etc.). Geralmente, é o consultório do terapeuta, um horário para o atendimento virtual (on-line) ou qualquer outro local combinado entre ele e o cliente.*

Não devemos confundir *setting* com enquadre terapêutico nem atrelar um ao outro. Como vimos, *setting* é o espaço *virtual* no qual a relação terapêutica acontece, enquanto enquadre é o espaço *físico*, podendo ser uma sala de consultório, clínica ou, por vezes, um enquadre menos protegido, como na psicoterapia virtual (como veremos no último tópico deste capítulo).

*A aliança terapêutica é uma associação entre o terapeuta e a parte sadia do cliente, para juntos abordarem as partes conflitadas ou doentes deste último.* Para tanto, o psicoterapeuta deve ficar atento quanto à sua postura, que depende da autocontinência do cliente. Quanto menor for a parte saudável do cliente, mais ele deve se manter parcialmente idealizado, resguardado e tolerante, adotando uma postura mais formal.

Quando o cliente apresenta uma parte sadia maior, a aliança terapêutica se dá mais rapidamente, portanto o psicoterapeuta pode ser mais espontâneo e menos formal.[4]

O enquadre vai além do espaço físico do consultório, pois nele é necessária a instalação do *setting*. O enquadre estimula que paciente e psicoterapeuta se aqueçam para assumir seus respectivos papéis – o daquele que trata e o daquele que se tratará. O enquadre convida a ficar no foco terapêutico e desestimula o bate-papo entre cliente e profissional. A grande importância do enquadre é o aquecimento que ele proporciona para a autorreflexão. O simples fato de estar no enquadre estimula, convida e até obriga psicoterapeuta e cliente a assumirem seus respectivos papéis.

O enquadre favorece o aquecimento do processo terapêutico e até lembranças aparentemente esquecidas no tempo. Para o psicoterapeuta, estar no enquadre é vital. Muitas vezes, por exemplo, podemos não nos lembrar da história do cliente, mas dentro do enquadre nos recordamos quase que automaticamente de fatos relatados há anos e de toda sua história pessoal. Parece "mágica", mas não é. O clima terapêutico, que é a rede de sustentação para que cliente e terapeuta iniciem

---

4 Ver o capítulo "Relação entre cliente e terapeuta" do livro *Psicodrama: teoria e prática* (1987), de Victor Dias.

a pesquisa no intrapsíquico, dá-se no *setting* aliado ao enquadre terapêutico.

O cliente não tem obrigação de saber o que é psicoterapia ou qual é o alcance dela. Cabe ao psicoterapeuta promover e facilitar uma postura autorreflexiva do paciente, desenvolvendo sua parte saudável, que inicia um processo de autoquestionamento de seus sentimentos, ações e posturas.

Na análise psicodramática, trabalhamos com um enquadre flexível. Dessa forma, por vezes ocorre o enquadre sem o *setting* e também o *setting* é instalado sem o devido enquadre. Entretanto, é sempre desejável que *setting* e enquadre ocorram juntos na relação terapêutica. Por vezes, embora haja um enquadre adequado, a relação terapeuta-cliente não se instala – por responsabilidade do cliente, do terapeuta ou de ambos. Nesses casos, a sessão se transforma num "bate-papo" social, o que não é normalmente desejado.

Embora não seja o mais adequado, o *setting* pode ser acionado de qualquer lugar (mensagem de celular, encontros ocasionais, telefonemas etc.), independentemente do enquadre. Fora dele, a psicoterapia pode sair de controle, pois precisa ser guiada pelo psicoterapeuta. Se houver uma conversa fora do enquadre, ele deve, de imediato, voltar a vestir seu papel profissional. Ir a um evento social a convite do cliente, por exemplo, dependerá do desenvolvimento da parte sadia deste e do estágio da psicoterapia, entre outros fatores. Em uma fase inicial do tratamento, os clientes costumam ficar incomodados com a presença do psicoterapeuta, mesmo que seja de relance, fora do papel profissional. Porém, quando há uma exposição do psicoterapeuta em que existem roteiros, como aulas, congressos, palestras ou situações profissionais, tudo fica mais fácil para o cliente.

## Contaminação do setting terapêutico

Como apresentado no volume IV desta coleção (Dias, 2012, p. 49), a análise psicodramática não trabalha com *setting* rígido ou asséptico, o que pode ocasionar uma confusão de papéis e mal-entendidos, dificultando ou até inviabilizando o processo terapêutico. A contaminação pode acontecer por parte do cliente e do psicoterapeuta – no primeiro caso, porque este pode ter uma visão distorcida, causada pelo papel do profissional, que torna atraente e ilusória a vontade de um convívio social; no segundo, porque o psicoterapeuta talvez tenha um trabalho solitário e sinta vontade de conviver socialmente com o paciente.

Tratamos, muitas vezes, de pessoas bastante agradáveis, que até fariam parte de escolhas de amizade e convívio, mas o trabalho do psicoterapeuta é proteger o *setting*, evitando a confusão de papéis e sua contaminação. Um *setting* contaminado é cáustico. O terapeuta precisa resguardar sua intimidade e encobri-la com seu papel profissional; já o cliente deve expor sua intimidade, sem a couraça social.

Existem diversos riscos de contaminação hoje em dia: redes sociais, celular, tecnologia, mensagens, entre outras situações que um *setting* mais flexível pode favorecer. O psicoterapeuta tem de levar em conta sua posição profissional para não se expor nas redes sociais – por exemplo, ao publicar conteúdos pessoais e íntimos. Recomendamos publicar somente conteúdos profissionais e atividades abertas ao grande público.

Dizemos que o mundo está mais aberto (Dias, 2016, Capítulo 3), mas o psicoterapeuta não pode se esquecer de promover a proposta de aceitação, proteção e continência, sem a qual não é possível o desnudamento da couraça social do paciente.

Por exemplo, se o psicoterapeuta aparecer em redes sociais com uma opinião categórica acerca de qualquer assunto polêmico, pode contaminar o *setting* e atrapalhar o bom andamento do processo do cliente em uma fase em que o profissional precisa ficar idealizado.

## *Apresentação do psicoterapeuta*

O maior foco da análise psicodramática é o conteúdo ligado ao mundo interno. No entanto, quando falamos de contaminação do *setting*, não podemos esquecer um aspecto importante quanto ao mundo externo: a apresentação do psicoterapeuta.

A apresentação sempre sugere competência, confiança, seriedade e postura. Dependendo da aparência, o psicoterapeuta pode, sem se dar conta, sugerir desconfiança quanto à capacidade profissional e/ou postura – ou, até mesmo, um estilo de vida e/ou opiniões que não cabem no papel profissional. Camisetas de times ou com dizeres religiosos, políticos, roupas despojadas e muito esportivas (tênis, chinelos, bermudas) são exemplos do que deve ser evitado. Sem falar, obviamente, do decoro, em que roupas mais extravagantes também devem ser evitadas. Para exemplificar, temos profissões em que o papel profissional é apresentado de maneira quase estereotipada: advogados, médicos e religiosos são alguns exemplos.

Sugerimos que o psicoterapeuta também tenha um guarda-roupa profissional que o preserve e transmita ao paciente a confiança necessária. No papel profissional, a roupa não precisa ser sofisticada ou elaborada, mas neutra, discreta, de modo que ajude e favoreça sua presença, e não a da pessoa do profissional que se apresenta. É importante lembrar que devemos sempre *vestir o papel profissional de psicoterapeuta* e podemos preservar o gosto pessoal dentro de determinados limites de bom senso e discrição.

## CONTATOS DURANTE A PSICOTERAPIA

Neste tópico, abordaremos os contatos corriqueiros, como mudança de horário em agenda, pagamentos, atrasos e avisos referentes a questões práticas para profissionais que não têm ajuda de recepcionistas.

É muito frequente, hoje em dia, o celular ser a secretária do profissional. Essa conduta pode ser fator de alta contaminação do *setting*, principalmente no caso de clientes invasivos. Ter o contato do psicoterapeuta à mão pode inviabilizar o processo, pois o *setting* é instalado sem um critério de tempo, momento e adequação. Situações como receber fotos de momentos de conflito, mensagens dos pacientes com pessoas do seu contato, mensagens de pedido de ajuda inadequadas, entre outras, são, por vezes, claro fruto de atuações psicopáticas, que não ajudam o processo psicoterapêutico ou prejudicam-no.

A ilusão do cliente de ter permissão para acessar o psicoterapeuta a qualquer momento por vezes gera o esgarçamento ou, até mesmo, o rompimento da aliança terapêutica, pois permite instalar uma relação complementar interna patológica entre terapeuta e cliente. Assim, orientamos o profissional a ter outro número de celular que não o pessoal, ou transformar o contato do celular para uso exclusivo em horário comercial. Lembremos que, nas psicoterapias, raramente temos emergências. Para urgências, deve ser informado o contato de um pronto-socorro psiquiátrico que mantenha esse tipo de serviço.

## Contatos fora do enquadre terapêutico com o cliente

A relação psicoterapeuta-cliente é desigual: enquanto na vida real terapeuta e cliente utilizam cada qual sua "couraça social", na psicoterapia o cliente está expandindo seu Eu, ao passo que o terapeuta está com o Eu bloqueado e protegido pelo papel profissional.

Quando ambos se encontram fora do enquadre, nas situações de vida, o que vale e prevalece são as regras da vida, porém, sem uma atenção do psicoterapeuta, pode-se confundir situações sociais ou profissionais.

A falta de rigidez no enquadre promove uma necessidade de atenção maior em relação à contaminação. Por exemplo, quando um psicoterapeuta manifesta, sem cautela, opiniões políticas, filosóficas, religiosas, sociais e comportamentos do cotidiano, elas podem ser interpretadas como indução de comportamento ou vistas como modelo de ação e atitude do cliente.

Existem fases em que o psicoterapeuta precisa ficar mais idealizado, mas não deve ser usado como modelo. As regras sociais favorecem a exposição do psicoterapeuta e, sem seu papel profissional, é difícil mantê-lo idealizado quando necessário, segundo o momento do tratamento do cliente.

### *Contato social*

Não se recomenda a presença do psicoterapeuta em festas, encontros em restaurantes, bares, aniversários, casamentos e tantas situações de vida junto com o cliente, por mais atraente que seja a proposta ou mais difícil a negativa do convite.

Com um cliente invasivo, por exemplo, pode-se acionar o *setting* em uma situação constrangedora e, por vezes, inadequada. Existem clientes que nós, psicoterapeutas, escolheríamos como amigos, por identificação e bem-querer, mas essa escolha inviabiliza a relação de trabalho psicoterapêutico. É função do psicoterapeuta manter o papel profissional para o bem do tratamento de seu paciente.

## Contato profissional

O contato do psicoterapeuta com o cliente em aulas, cursos, palestras, congressos, grupo de estudos e outras atividades profissionais é menos preocupante que o contato social. Nessas ocasiões, existe um critério e um roteiro estabelecido, o que favorece uma menor exposição.

Sem dúvida, a pessoa do psicoterapeuta também precisa ser resguardada nessas situações, o que é facilitado com o roteiro do evento.

## Negócios com clientes

Venda de carros, casas, objetos, utensílios e aparelhos, oferecimento de serviços, aconselhamentos financeiros, troca, permutas e tantos outros negócios podem ser oferecidos em troca de psicoterapia.

A vivência com vários tipos de pessoa pode ser uma fonte de atração para o terapeuta fazer negócios, porém deve-se evitar esse tipo de contato pelo alto risco de contaminação do *setting*, criando uma situação complicada – como a dificuldade de avaliação de equivalência dos trabalhos –, fazendo que os envolvidos se sintam logrados.

A relação psicoterapeuta-cliente é uma relação de trabalho e precisa ter clareza de conduta. Essa mistura de negócios muitas vezes acaba contaminando o *setting*, devendo ser evitada. Obviamente, negócios de fácil avaliação e grande transparência podem ocorrer eventualmente.

Reafirmamos que nossa intenção não é engessar, mas sim orientar condutas para facilitar a resolução de situações comuns entre psicoterapeuta e cliente. O maior erro é o psicoterapeuta não avaliar o momento do tratamento do paciente, em que a distância e a idealização do psicoterapeuta são instrumentos importantes para o processo.

## QUEM NÃO É INDICADO ATENDER EM PSICOTERAPIA

Esse tópico é de extrema importância para a não contaminação do *setting*. Não estamos falando apenas de questões éticas: precisamos evitar também a psicoterapia cruzada e contaminada.

No *setting* terapêutico, é vital o estabelecimento do clima terapêutico por meio da aliança terapêutica. Porém, tudo é ameaçado quando o profissional sabe de conteúdos que o próprio paciente desconhece, pois as informações tornam-se conflitantes. Nós, psicoterapeutas, trabalhamos com a realidade do paciente; portanto, informações cruzadas prejudicam o processo, proporcionando uma mistura contraproducente de conteúdos. Baseamo-nos não na forma como os fatos realmente ocorreram, mas naquilo que o cliente registrou em seu mundo interno, tanto no passado como no presente.

Atender casais, filhos, sócios, irmãos, amigos que moram na mesma casa, chefes e subordinados em psicoterapia individual, isto é, separadamente, *não* é indicado, pois:

1. o psicoterapeuta fica com a informação não compartilhada;
2. suas falas e observações podem ser vistas ou interpretadas como recados ou denúncias;
3. as dinâmicas de ciúmes e competição, impossíveis de resolver, podem ser desencadeadas ou fortalecidas;
4. a distorção e a mistura que os pacientes fazem com o nome – ou em nome – do psicoterapeuta podem ser desencadeadas.

Em alguns momentos, o atendimento simultâneo pode acontecer sem o conhecimento prévio do psicoterapeuta, fruto de: indicação malfeita (leigos não têm a informação de como indicar adequadamente); pacientes que se conhecem na sala de espera e começam a ter uma relação mais próxima; condutas de atuação do paciente, que indica alguém próximo sem consultar o psicoterapeuta. Nesses casos, é uma situação bastante constrangedora e difícil ter de pedir aos clientes em questão que escolham quem deve sair da psicoterapia.

O ideal é proporcionar sessões de parelhas ou de família para que todos sejam atendidos ao mesmo tempo, mas, por vezes, isso não é possível nem de interesse dos pacientes. Apesar de não ser uma situação confortável, nesses casos mantemos a psicoterapia usando basicamente o trabalho com a técnica do espelho e/ou via decodificação de sonhos. Trabalhamos somente o mundo interno para favorecer o mínimo possível a psicoterapia cruzada e contaminada.

Esse tipo da situação tende a esvaziar o processo psicoterapêutico em virtude de constrangimentos e desconfortos. Um ou ambos os pacientes tendem a abandonar a psicoterapia, portanto o início bem-sucedido deve ser sempre privilegiado (conforme apresentado no volume IV desta coleção).

## ATENDIMENTO DE PARENTES OU AFINS DO CLIENTE EM PSICOTERAPIA

Em psicoterapia individual, o psicoterapeuta pode ser procurado por familiares, amigos e/ou pessoas próximas do cliente a título de ajuda, contribuição ou informações consideradas importantes para o processo.

No caso de psicoterapia com crianças, isso é esperado, e orientações de seus pais ou responsáveis estão incluídas no processo. O mesmo acontece com a psicoterapia de adolescentes – os pais podem ser solicitados em algumas sessões, sendo uma orientação "disfarçada" ou, até mesmo, um tratamento do papel de pai e mãe nos próprios pais.

Com pacientes graves ou que apresentam atuações histéricas ou psicopáticas (a angústia patológica, em vez de ser assumida pelo cliente, é transferida para familiares e/ou amigos), familiares e/ou amigos podem procurar o psicoterapeuta pelo motivo já citado: contribuir com o processo terapêutico e/ou ajudar no processo. Nós, psicoterapeutas, ficamos em uma situação delicada, já que existem riscos e intenções que precisam ser avaliados e observados, pois podem contaminar o *setting* ou atrapalhar o processo.

Entre os riscos, podemos citar:

1. negar-se a atender à solicitação do familiar/amigo, o que acarretaria perda de informações importantes ou vitais;
2. atender o familiar/amigo e, com isso, abalar a confiança do cliente, impedindo a continuidade do processo.

Existem também intenções que precisam ser atentamente consideradas:

1. o parente/amigo, ao entrar em contato com o psicoterapeuta, pode querer influenciar o profissional com a intenção de "enquadrar" ou controlar o cliente.
2. por meio do profissional, o parente/amigo pode querer dar um recado ao cliente que não quer/não consegue assumir;
3. a busca do terapeuta pode ser fruto de angústia causada pelo cliente; angústia esta fruto de atuação psicopática ou histérica, que ele não consegue assumir; dizemos que a angústia está no familiar/amigo e não no cliente – e, para que este seja tratado, sua angústia precisa estar internalizada;
4. o real desejo de ajudar também não pode ser esquecido. O psicoterapeuta passa, em média, de 50 minutos a 1 hora da semana com o paciente; por vezes familiares e amigos têm informações e vivências que o psicoterapeuta jamais terá. Isso precisa ser considerado e avaliado.

O comando do *setting* terapêutico é de responsabilidade total do psicoterapeuta. Ele não é de forma nenhuma empregado do cliente ou de seus familiares, portanto não tem obrigação de acatar condutas que considera prejudiciais ao processo. O profissional deve ter autonomia em relação a decisões no contato com familiares.

O sigilo de informações é óbvio, exceto em situações de risco de morte do paciente ou de outros próximos dele. Cada situação e cada caso devem ser avaliados individualmente. Não existe uma cartilha, mas, na análise psicodramática, adotamos certas posturas e condutas que orientam o psicoterapeuta na implementação da continuidade do processo de maneira efetiva. São elas:

1. O profissional não deve se comprometer a contar ao paciente tudo que foi conversado, mas apenas o que julgar

necessário. Alguns psicoterapeutas psicólogos foram orientados, na sua formação, a dizer ao paciente, para garantir a confiança, tudo que foi relatado por seu parente/afim. Não temos essa atitude na análise psicodramática, pois isso engessa o psicoterapeuta e coloca o controle do *setting* na mão do paciente. Como vimos, cabe ao profissional manter a aliança terapêutica.

2. Ao receber um telefonema do parente/amigo, orientamos o psicoterapeuta a: atendê-lo; avisar o familiar que, dependendo do caso, esse contato será comentado com o paciente; ouvir a informação e aliviar a angústia do familiar. O sigilo das informações do cliente deve ser mantido, mas o alívio do familiar precisa ser considerado.

3. Nesses contatos, muitas vezes, familiares, amigos ou afins solicitam uma sessão presencial. Cabe ao psicoterapeuta avaliar, com base no processo psicoterapêutico, a adequação desse atendimento. Dessa forma, ele deve discutir o assunto com o cliente para que, de comum acordo, cheguem a uma decisão. Sempre adotamos a postura de fazer a sessão de maneira conjunta, com a participação do cliente e de quem solicitou o atendimento. Nesse caso, a análise psicodramática postula uma regra básica e vital: sempre atender utilizando a técnica de tribuna – a qual favorece uma conversa real e não "bate-bocas" improdutivos, com a garantia de mínima contaminação do *setting*. Caso o cliente recuse a sessão conjunta, mas o psicoterapeuta considere importante a informação que o parente tem a fornecer, a sessão pode ser feita, porém sempre considerando o que foi citado: o psicoterapeuta não deve se comprometer a contar tudo ao cliente, mas apenas que julgar necessário.

## AVALIAÇÃO DE TRATAMENTO OU CONDUTAS DE OUTROS PROFISSIONAIS

Muitas vezes o psicoterapeuta depara com situações em que sabe que a conduta de outros terapeutas não condiz com a forma como se deve trabalhar. Nesse momento, deve-se ponderar as seguintes situações diante do processo de psicoterapia:

1. O universo das psicoterapias é pouco sistematizado e controlado, pois não há um órgão regulador.
2. Existem muitos profissionais sem formação acadêmica e/ ou com fundamentação teórica embasada em critérios científicos. Diversos terapeutas não têm formação profissional adequada, e alguns são, na verdade, gurus transvestidos de terapeutas.

Nosso compromisso é com o cliente, com o bem-estar dele, e não com aspectos ligados ao corporativismo, portanto não podemos acobertar uma má conduta ou deixar de apontá-la e avaliá-la. Entendemos por má conduta a contaminação do *setting* terapêutico. Quando deparamos com condutas nocivas de colegas, indicamos as seguintes posturas:

1. Evitar, quando possível, uma acusação direta, levando em conta as questões éticas e a boa educação. Afinal, na maioria das vezes, não conhecemos o colega e, se o conhecemos, não nos cabe tal indelicadeza. Porém, como o compromisso é com o cliente, não podemos ter receio de condenar determinadas posturas.
2. Explicar a conduta correta no contexto da análise psicodramática, realçando a diferença de procedimentos. A

frase "não trabalhamos dessa forma" ajuda a localizar o cliente e, ao mesmo tempo, mostrar a conduta correta.
3. Explicar em linguagem acessível os danos da conduta nos aspectos psicológicos ou, até mesmo, fisiológicos, como "pode acontecer tal coisa" ou "é provável que haja possíveis sequelas".

Apresentaremos um caso para exemplificar: uma paciente de 35 anos acessou, via decodificação de sonho, uma lembrança ligada a abuso sexual quando menina, que sua antiga terapeuta havia orientado a não mais acessar, já que seu conteúdo não ocasionou sequelas. A antiga terapeuta havia interpretado que o tema estava resolvido, uma vez que ela não tinha dificuldades sexuais. A cliente, de fato, não tinha problemas na área sexual, mas apresentava dificuldade de se relacionar. A explicação na análise psicodramática diz que não devemos trabalhar com o esquecimento, e sim tocar no assunto para elaborá-lo. Por isso, foi explicado que a possível sequela – de "esquecer" o assunto – estava acontecendo, já que ela não conseguia se relacionar de maneira profunda sem a elaboração do abuso. Feito isso, a cliente foi capaz de acessar e elaborar o tema.

## SUBVENÇÃO EM PSICOTERAPIA

A palavra subvenção significa *ajuda* ou *auxílio*. No caso da psicoterapia, ela pode contaminar o *setting* terapêutico se o profissional não atentar para detalhes nada óbvios nem fáceis de avaliar.[5]

---

5 Ver o capítulo "Manejos, condutas e procedimentos na análise psicodramática (parte 2)" do livro *Psicopatologia e psicodinâmica na análise psicodramática, volume V* (2016), de Victor Dias.

Muitas pessoas, imbuídas de excelentes intenções, se oferecem para pagar a psicoterapia de indivíduos que não têm condições de arcar com o valor do tratamento. Não estamos falando de dependentes financeiros, como filhos na fase infantil ou na adolescência, mas de parentes, amigos, padrinhos, patrões, namorados(as) ou afins que resolvem pagar a psicoterapia para os parentes, afilhados, funcionários etc.

Entretanto, a intenção de ajudar pode ser inócua ou até prejudicial, dependendo de como foi feito o acordo entre protetor e protegido. Geralmente, esse acordo é feito sem a anuência e o conhecimento do psicoterapeuta, e, pela vivência clínica, percebe-se que não é um bom começo, pois ocorrem várias contaminações; a pior delas é a psicoterapia adquirir uma expectativa de encomenda. Isso provoca determinadas dinâmicas negativas para o andamento do processo psicoterapêutico, entre elas:

- Os recursos envolvidos geralmente são significativos para o protegido. Este, ao saber do valor, toma consciência do gasto, podendo se sentir constrangido, pressionado ou desmotivado diante do processo psicoterapêutico, pois imagina outro destino para o volume de dinheiro gasto com o tratamento, acreditando ser um desperdício.
- Cria uma expectativa no protetor/padrinho em relação à mudança de comportamento do protegido e ao tempo em que ela ocorrerá. Este, ao se sentir lesado por entender que suas expectativas não estão sendo correspondidas, acaba por cobrar o protegido, interrompendo o processo ou interferindo nele.
- O protegido pode acabar se sentindo pressionado a dar uma resposta em relação ao seu processo que nem sempre

é verdadeira, por se sentir em dívida com o protetor ou humilhado pela situação.

Para evitar ou minimizar essas dinâmicas negativas do processo, indicamos ao psicoterapeuta condutas que favoreçam um bom início e encaminhamento da psicoterapia. Uma delas é mostrar ao protetor a forma como trabalha. Também se pode orientá-lo a avisar o protegido que lhe dará um presente por determinado período – e, sendo um presente, o valor da sessão não lhe será revelado. Caso ocorra abandono do tratamento pelo protegido, deve-se avisar o protetor/padrinho.

Essa postura costuma eliminar a maior parte das dinâmicas negativas nos casos de subvenção na psicoterapia.

## *Psicoterapia virtual*

A psicoterapia feita de maneira virtual vem ganhando espaço. Há vantagens e desvantagens nesse tipo de atendimento.

**Vantagens**

- Pode proporcionar um atendimento mais barato, pois o profissional não necessita de consultório ou clínica para efetuá-lo.
- Não há preocupação com deslocamento, sobretudo para clientes que moram longe.
- Possibilita atendimento emergencial, apoio e orientação.

A partir de 2020, em virtude da pandemia de Covid-19, vivemos situações atípicas, em que diversos profissionais tiveram de lançar mão desse recurso, mesmo não sendo sua forma habitual de atendimento. Essa modalidade de trabalho favoreceu inúmeros atendimentos de apoio e orientação e confirmou a visão da análise psicodramática, cujo foco é a parte saudável do cliente (psicoterapia de ego).

No entanto, nesse momento também foram confirmadas pela vivência de muitos psicoterapeutas as desvantagens da psicoterapia virtual.

## Desvantagens

- O enquadre na psicoterapia virtual fica excessivamente flexível. Como vimos, o enquadre convida ambos, psicoterapeuta e paciente, à autorreflexão, o clima se instala e se mantém a aliança terapêutica. O enquadre ajuda a focar o mundo interno e as questões relevantes, e não conversas sem compromisso de amadurecimento emocional.
- A psicoterapia virtual não favorece um enquadre adequado, principalmente o do cliente. Vimos nesse processo de confinamento que o cliente é, por vezes, interrompido por várias intercorrências impossíveis de ser controladas (entrada de crianças, *pets*, locais e posturas inadequados, entre várias outras situações), quebrando o clima e não favorecendo o real objetivo da terapia.
- Com muito tempo na psicoterapia virtual, o clima terapêutico fica afrouxado. A psicoterapia serve à reorganização do psiquismo e, para tanto, é necessário o clima terapêutico. Quando trabalhamos profundamente no psiquismo do cliente e entramos na parte caótica, instalam-se defesas. Para trabalhá-las, necessitamos do clima afetivo bem estabelecido (rede de sustentação da

psicoterapia). Essa sustentação é pouco eficiente no trabalho virtual.

- No trabalho com sonhos, muitas vezes as defesas intrapsíquicas são acionadas, o que dificulta a psicoterapia virtual. Nela, o clima terapêutico, que dá suporte à psicoterapia, é normalmente enfraquecido.
- Crises como surtos psicóticos, tentativas de suicídio e crises esquizomorfas, fóbicas, histéricas, paranoides, entre outras, são quase impossíveis de trabalhar virtualmente com as técnicas adotadas pela análise psicodramática. Além disso, a própria continência da psicoterapia fica comprometida.
- Técnicas psicodramáticas utilizadas em alguns quadros, como divisão externa corporificada, uso de sensibilização corporal, psicodrama interno e espelho que reflete, são impossíveis de reproduzir nesse tipo de ambiente.

Orientamos os profissionais que trabalham virtualmente a explicar a seus pacientes a necessidade de um enquadre adequado: local reservado, sem interrupções e por um período curto – de um a dois meses e/ou quinzenalmente. Caso contrário, as sessões virtuais se tornam ineficazes. Indicamos a psicoterapia virtual como psicoterapia de ego, da parte sadia, em que não se trabalha preferencialmente com a angústia patológica, mas com a circunstancial, sendo de apoio e suporte, em que o psicoterapeuta, na verdade, se torna um *conselheiro qualificado*. Como a angústia patológica aparece sem um controle possível, o ideal é que se intercale psicoterapia presencial com virtual. Afinal, o trabalho do psicoterapeuta, além de orientar nos momentos de crise circunstancial, é tratar e reorganizar o psiquismo – o que só é possível com o clima terapêutico devidamente instalado.

# 7. A relação oral com o mundo e seus desdobramentos

*Victor R. C. S. Dias*

Entendemos como relação oral aquela em que o indivíduo espera receber do(s) outro(s) todos os seus desejos e necessidades sem fazer esforço próprio para consegui-los. É uma relação de mão única, na qual o indivíduo está na posição de receber e o(s) outro(s), na de dar. Esse tipo de relação sempre existiu e está originalmente baseada na relação mãe-filho.

A relação oral com o mundo existe desde o surgimento do ser humano. Os caçadores/coletores foram um exemplo típico desse tipo de relação com o ambiente circundante. Porém, temos notado que, com o desenvolvimento cada vez maior da tecnologia, das mídias digitais e dos algoritmos inteligentes, essa *relação tem sido incrementada e exacerbada*. Cada vez mais as pessoas estão transferindo a relação interpessoal para a relação com o mundo, e isso tem modificado tanto o entendimento do processo de psicoterapia como a postura dos próprios terapeutas.

A relação oral com o mundo é um tema bastante discutido, porém com um nome diferente – é quando falamos da grande dependência do ser humano em relação às máquinas, ao mesmo tempo que estas tornam a vida bem mais prática e confortável. Na nossa abordagem, a relação oral com o mundo é explicitada em uma tendência de as pessoas quererem tudo pronto, rápido, imediato, sem se esforçarem para obter aquilo que é necessário ou desejado. Hoje, qualquer sistema, aplicativo ou algoritmo que apresente soluções imediatas é prontamente aceito.

Esse processo não é necessariamente ruim – é bastante confortável e até benéfico, ajudando a acelerar o progresso e a facilitar o modo de viver. Porém, verificamos que, tanto nas psicoterapias como fora delas, *as pessoas também pararam de pensar!* O processo de *raciocinar, estabelecer o bom senso, avaliar, decidir, argumentar, planejar, escolher, deduzir, refletir, ter ideias, armazenar informações etc.* está gradativamente caindo em desuso.

É claro que as pessoas que pensam não vão desaparecer em médio prazo, mas constatamos cada vez mais esse fenômeno. Se algo não está previsto no sistema, simplesmente não existe. O indivíduo não sabe mais pensar por si só. E pior: não é encorajado a isso. Essa tendência tem modificado o processo das psicoterapias, no sentido de *procurar soluções prontas – quanto mais rápido, melhor – no próprio processo psicoterápico.*

A partir do momento em que o *Homo sapiens* desenvolveu um pensamento e uma linguagem ficcional, também passou a questionar e refletir sobre uma série de assuntos além da sobrevivência básica. Esses assuntos podem ser resumidos pela noção de consciência e representados pelas já famosas questões: "Quem somos?", "De onde viemos?", "Para onde vamos?" etc.

Esses questionamentos geraram a construção de uma *ordem imaginada, carregada de convenções, para dar sentido e direção aos grandes grupos de seres humanos, no caminho de povoar a terra e talvez, no futuro, o próprio universo.*

Porém, esses questionamentos e essa ordem imaginada geraram também o surgimento da *angústia*. Falamos aqui da angústia patológica, ligada aos conflitos intrapsíquicos; das angústias circunstanciais, ligadas ao cotidiano do indivíduo e suas expectativas de comportamento; e da angústia existencial, ligada à elaboração do seu projeto de vida.

*Como resolver e, sobretudo, dar uma resposta para acalmar ou solucionar todos esses tipos de angústia?*

Os grandes questionamentos da humanidade sempre foram exercidos e estimulados pelas religiões, que dão soluções para as necessidades e os desejos do indivíduo sem que ele tenha de raciocinar sobre eles. O pacote vem pronto: é uma questão de aceitar ou não. As religiões também sempre procuraram apaziguar as angústias do ser humano, estruturando um grande conjunto de conceitos, respostas e normas – advindo de uma ou várias divindades inacessíveis – para ser veiculado à massa por uma casta de representantes qualificados para tal. É claro que a formulação desse volumoso conjunto conceitual demandou trabalho e esforço. No entanto, para o grande público, esse conjunto normativo é apresentado como uma verdade absoluta a ser aceita – e não questionada nem avaliada.

A filosofia também sempre tentou dar uma resposta para as angústias do ser humano. Ao contrário das religiões, os filósofos não adotaram divindades, mas elaboraram um procedimento reflexivo e questionador que procura criar conceitos e oferecer respostas aos nossos questionamentos. Entretanto, vários filósofos ofereceram lições como roteiro ou solução para os indivíduos.

Nesses novos tempos, proliferou-se uma série de novas propostas de tratamento das angústias que ficam situadas entre as religiões e as psicoterapias. São as seitas em que não existe uma divindade inacessível, mas um guia espiritual ou guru que cria e promove condutas, procedimentos e soluções para o apaziguamento das angústias sem muitos questionamentos. São associações personalistas, centradas em um único indivíduo cercado de inúmeros crentes ou simpatizantes que adotam aquele rumo espiritual ou esotérico como solução para seus conflitos – o que costuma gerar grande dependência, por vezes até fanática, em seus seguidores.

Com essa relação oral com o mundo, na qual o indivíduo para de pensar ou refletir, as autoajudas formam um novo grupo de "tratamento" que vem sendo cada vez mais procurado e aceito. Em comum, oferecem soluções rápidas e prontas, sem o inconveniente de divindades inacessíveis nem de gurus personalistas, muito menos de posturas questionadoras e reflexivas.

Até linhas que também se autodenominam psicoterapias, mas têm como pilar a orientação de comportamentos e posturas desejáveis dentro dos conceitos morais vigentes, mas sem grandes questionamentos, são agrupadas com esse nome genérico de autoajuda, sem estimular um processo pensante, questionador e reflexivo, além de não terem como eixo uma estrutura de psicopatologia bem definida.

Mesmo as psicoterapias virtuais, tão em voga atualmente, estão se tornando processos de aconselhamento e orientação, e não de questionamento e reflexão, embora tenham um eixo de psicopatologia. Elas acabam sendo ineficientes, na maioria das vezes, por deficiência de enquadre por parte do cliente, por enfraquecimento do clima terapêutico e pela dificuldade de utilização de técnicas de aprofundamento psicológico e de entrada na esfera intrapsíquica. Dessa maneira, se aproximam mais de um processo de autoajuda do que de uma verdadeira psicoterapia.

O que temos observado, até agora, é que esses processos – religiões, filosofias, gurus e autoajuda – atenuam, direcionam ou tamponam as angústias, mas não as resolvem. Muitas vezes, criam uma dependência patológica em seus adeptos. Sem dúvida são processos cômodos, que oferecem soluções sem esforço e estimulam a relação oral com o mundo no terreno psicológico. Trata-se de algo, no mínimo, preocupante.

O sentimento de angústia é a causa essencial da procura de ajuda psicológica, e a necessidade básica é livrar-se desse sentimento incômodo. As psicoterapias, sobretudo as que fazem a abordagem dos conflitos intrapsíquicos, sempre se pautaram por um processo de questionamento e autoquestionamento sobre os motivos e as causas das necessidades e dos próprios desejos. A psicoterapia é, em essência, um processo reflexivo e questionador à procura da coerência entre os pensamentos, os sentimentos e os impulsos do cliente. Qualquer discrepância que interfira nessa coerência é a causa do surgimento das angústias, sejam elas patológicas, circunstanciais ou existenciais.

As psicoterapias também foram criadas por elites pensantes e estruturadas para apaziguar e, até mesmo, eliminar as angústias do ser humano decorrentes desse processo de questionamento e autoquestionamento de suas contradições, sejam elas internas (angústia patológica) ou externas (angústia circunstancial e existencial). No entanto, a diferença fundamental é que as psicoterapias sempre estimularam o indivíduo a reflexões e avaliações. Elas não têm como proposta oferecer uma solução pronta, e sim fazer que cada um encontre, por um processo reflexivo e orientado, as próprias verdades, crenças e soluções.

Poderíamos, mas não vamos entrar no universo de especulações de como seria o mundo com uma grande massa de indivíduos pouco pensantes. Em que acarretaria o fato de as pessoas pensarem menos e apenas procurarem soluções prontas e já elaboradas por alguém, uma máquina ou um algoritmo inteligente?

Esse relacionamento oral com o mundo é um comportamento que está se estabelecendo rapidamente e, ao que tudo indica, tende a ficar muito mais amplo e abrangente. Os algoritmos inteligentes ditam condutas, escolhas, programas e roteiros para as mais diversas necessidades e desejos do indivíduo, sem que ele precise se dar ao trabalho de pensar, decidir ou escolher os próprios caminhos.

Acreditamos que a melhor forma de resolver as angústias – a patológica, a circunstancial e a existencial – é um processo de psicoterapia questionador, reflexivo e com abordagem da esfera intrapsíquica, mas também sabemos que ele é inviável para a grande massa popular, sendo reservado à elite econômica e intelectual.

Acreditamos no trabalho preventivo contra o desenvolvimento das neuroses. A divulgação das causas, o trabalho com a educação infantil e o esclarecimento realista – e não místico – da população podem diminuir bastante as origens da angústia.

Na medida em que a psicoterapia não tem condições de atender a uma grande massa populacional e o trabalho preventivo é bastante demorado, a pergunta que se impõe é: *como resolver o problema das angústias?* Uma das medidas atuais para lidar com elas tem sido a utilização maciça de medicações psiquiátricas, como antidepressivos, neurolépticos, tranquilizantes e fitoterápicos. Com isso, as angústias ficam diminuídas e tamponadas, mas não resolvidas.

A medicação fornece uma solução imediata e sem nenhum esforço, criando uma ilusão de cura da angústia. Entretanto, na maioria das vezes, apenas tampona a angústia resultante dos conflitos, fornecendo ao indivíduo um tempo para se reorganizar dentro de seus conflitos (medicação em forma de moratória). Apresenta, além dos seus efeitos colaterais, uma tendência a se transformar em hábito ou, até mesmo, vício.

Outra tendência é o aumento do consumo de drogas euforizantes (cocaína, MDMA, *ecstasy*, estimulantes e excitantes, anorexígenos etc.), tranquilizantes (maconha, álcool, heroína, ópio etc.) e alucinógenas (LSD, mescalina, *ayahuasca*, psilocibina etc.). Essas drogas também promovem um alívio temporário das angústias, mas, muitas vezes, viciam ou desorganizam o psiquismo. Sua utilização também cria um mecanismo de ilusão de que conflitos, depressões, pânicos, ansiedades e angústias serão sempre afastados. Isso não é verdade, tanto que, quando passa o efeito da droga, a angústia volta e seu consumo se faz necessário, levando a um círculo vicioso em que a substância tampona a angústia, cujo aumento incrementa o consumo da droga.

Dessa forma, voltamos à pergunta inicial: *o que fazer com a angústia? Ou melhor, o que fazer para se livrar das angústias sem precisar pensar?* Ainda não temos uma resposta satisfatória para essa questão, mas sabemos que a psicoterapia reflexiva, com a abordagem intrapsíquica, é um dos processos bastante satisfatórios. Além disso, também sabemos que "não pensar", decididamente, não é um bom caminho.

# 8. A utilização da técnica do espelho no desmonte das defesas intrapsíquicas

*Victor R. C. S. Dias*

A mobilização de defesas intrapsíquicas ocorrerá sempre que os questionamentos ou autoquestionamentos começarem a mobilizar o material excluído e a depositá-lo na segunda zona de exclusão. É uma mobilização que ocorre de forma automática, sem o conhecimento ou a participação consciente do indivíduo. Lembremos que a função das defesas intrapsíquicas é a de impedir o contato consciente com o material excluído que está na segunda zona de exclusão.

A mobilização das defesas intrapsíquicas pode ocorrer em qualquer momento da vida – muitas vezes, é o motivo principal da procura de ajuda psicoterápica –, mas também pode ocorrer durante o processo da psicoterapia. Ao estabelecermos a pesquisa intrapsíquica durante o processo psicoterápico, abordaremos os conflitos e, em seguida, chegaremos às divisões internas.

Um dos braços da divisão interna está consciente e localizado no conceito de identidade do indivíduo, que, por sua vez, se localiza no psiquismo organizado e diferenciado (POD). O outro braço é constituído de material psicológico, que se encontra excluído do conceito de identidade e depositado na segunda zona de exclusão.

A segunda fase da psicoterapia é justamente a fase das divisões internas, que consiste no resgate do material excluído e depositado nessa zona de exclusão, e uma posterior integração dele no conceito de identidade do cliente.

Como já vimos em outros livros desta coleção, o psiquismo é uma "máquina burra" que tenta manter seu *status quo* independentemente de este ser saudável ou não. Em consequência disso, o psiquismo mobiliza defesas psicológicas para impedir tanto o reconhecimento como o resgate do material depositado na segunda zona de exclusão.

Vários mecanismos defensivos podem ser utilizados para evitar o contato com esse material excluído: defesas intrapsíquicas, defesas projetivas, defesas dissociativas e distúrbios funcionais. Os vínculos compensatórios evitam o contato com o material da primeira zona de exclusão.[1]

Um dos principais mecanismos de defesa utilizados para impedir o reconhecimento e o resgate do material excluído da segunda zona são as *defesas intrapsíquicas*. Estas podem ser mobilizadas no próprio *setting* da terapia ou relatadas como acontecidas fora dele. O trabalho psicoterápico é o mesmo para qualquer das formas.

Ao mobilizar as defesas intrapsíquicas, o processo psicoterápico é paralisado e o reconhecimento do material excluído de segunda zona não se torna acessível. Para que isso aconteça,

---

[1] Observar os conceitos de pesquisa intrapsíquica e de defesas intrapsíquicas em *Psicodrama: teoria e prática* (1987) e *Psicopatologia e psicodinâmica na análise psicodramática, volume II* (2008), ambos de minha autoria.

**Figura 1** – Defesas intrapsíquicas

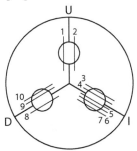

1. Defesa de ideias obsessivas
2. Defesa de rituais compulsivos
3. Defesa histérica
4. Defesa conversiva
5. Defesa fóbica
6. Defesa contrafóbica
7. Defesa psicopática
8. Defesa de atuação
9. Defesa de ideias depressivas
10. Defesa paranoide

o terapeuta necessita fazer um trabalho psicoterápico de *desmonte das defesas intrapsíquicas*.

A mobilização dessas defesas está carregada de angústia patológica, mesmo que o material excluído ainda não esteja sendo abordado. A mobilização das defesas intrapsíquicas, assim como a de qualquer defesa, é um sinal de alarme diante da possibilidade de o *status quo* do psiquismo ser alterado. Essa alteração é imprescindível para o resgate e a integração do material excluído tanto da segunda como da primeira zona. Um dos procedimentos mais utilizados no desmonte das defesas intrapsíquicas é a *técnica do espelho, seguida ou não da técnica de cenas de descarga*[2].

A utilização das técnicas do espelho difere conforme a defesa intrapsíquica abordada.

---

[2] Ver a descrição detalhada dessas técnicas em *Psicopatologia e psicodinâmica na análise psicodramática, volume III* (2010).

## ESTRATÉGIA PSICOTERÁPICA DAS DEFESAS INTRAPSÍQUICAS LIGADAS AO MODELO DE INGERIDOR

### Defesa histérica

Aqui, a forma é mais importante que o conteúdo. É sempre uma fala de maneira dramática, em que os sentimentos (raiva, indignação, amor, sedução, bondade etc.) estão muito exacerbados. Nesse tipo de defesa, o espelho que retira não é adequado, pois ele espelha apenas o conteúdo, e não a forma. O indicado é o espelho físico.

A utilização do espelho físico deve sempre ser contratada com o cliente; caso contrário, ele pode se sentir criticado, censurado, constrangido ou até mesmo ridicularizado. A contratação feita pelo terapeuta deve ser: "Seus sentimentos estão muito exacerbados. Vou fazer um espelho tentando reproduzir, da maneira mais fiel que eu conseguir, essa exacerbação com todo o gestual e a entonação de voz"; "Observe e veja o que lhe ocorre".

**Figura 2** – Espelho físico na defesa histérica

Em seguida, o terapeuta deve fazer o espelho físico, quantas vezes forem necessárias, até que o cliente possa acessar o material excluído.

## Defesa conversiva

Nela, os conteúdos que deveriam surgir são desviados e convertidos em sensações corporais, tais como formigamento ou paralisação de membros, tontura, alteração visual, palpitação, contração, esfriamento, tremor etc. O terapeuta depende de o cliente relatar que experimentou essas sensações ou, então, que as está sentindo, quando isso ocorre no decorrer da sessão.

Nesses casos, o *espelho que retira* é indicado, desde que o terapeuta sempre apresente ou aponte para o órgão citado. Por exemplo, se é um formigamento de mão, no espelho, o terapeuta deve mostrar a própria mão; se é uma tontura, ele deve

**Figura 3** – Espelho que retira na defesa conversiva

apontar para a própria cabeça; se é uma palpitação, deve apontar para o próprio coração, e assim por diante.

## *Defesa fóbica*

Quando está internalizada, essa é uma defesa em que o cliente traz o conteúdo e omite os sentimentos envolvidos. É uma fala monótona, desprovida de emoções.

Nesses casos, o espelho que retira é o indicado, e o profissional deve tomar o cuidado de fazê-lo da mesma forma como o cliente trouxe o material, evitando colocar o sentimento, que obviamente está ausente. A consigna dada ao cliente deve ser: "Você está falando de coisas importantes que devem ter ocasionado uma série de sentimentos que não estão presentes no seu relato"; "Vou fazer um espelho, observe e tente sentir e identificar os sentimentos envolvidos".

Em seguida, o terapeuta faz o espelho que retira quantas vezes forem necessárias durante a sessão, até que algum sentimento venha à tona.

Quando a defesa fóbica está externalizada, vamos encontrar, no paciente, uma atitude de evitação física ou fuga de pessoas ou situações que mobilizem sentimentos ou conteúdos que estão na zona de exclusão. Nesses casos, devemos utilizar o *questionamento direto* para pesquisar os sentimentos envolvidos. Em seguida, adotar o *espelho que retira* seguido de *cenas de descarga* desses sentimentos em relação às pessoas ou situações envolvidas e evitadas. A cena de descarga é feita pelo terapeuta, durante o espelho que retira, e em direção a uma almofada. Por exemplo, se uma cliente evita passar em determinada rua porque ali pode haver um maníaco sexual, vamos primeiro pesquisar os sentimentos ligados à fantasia de uma

possível abordagem do maníaco e, até mesmo, um possível estupro. Depois, o terapeuta deve repetir no espelho que retira esse conjunto de sentimentos dirigidos ao maníaco representado por uma almofada. O cliente fica na posição de observador e pode entrar em contato com todos os seus medos e sentimentos projetados no maníaco.

**Figura 4** – Espelho que retira na defesa fóbica

## *Defesa contrafóbica*

O cliente apresenta uma fala questionadora e agressiva, tentando intimidar ou, até mesmo, encurralar o terapeuta com suas argumentações. O cliente não percebe o medo que está sentindo diante da abordagem do profissional e, desse modo, tenta intimidá-lo ou paralisá-lo para fugir do seu próprio.

Nesses casos, o espelho que retira é utilizado, mas com o *cliente observando sua relação com o terapeuta.*

A proposta do espelho deve ser formulada do seguinte modo: "Você está com uma postura agressiva e questionadora comigo. Farei um espelho de você falando comigo, tente identificar o que está ocorrendo ou o que você está sentindo".

Em seguida, o terapeuta assume o papel do cliente e nomeia uma almofada como terapeuta. O espelho, com a fala do cliente, deve ser dirigido à almofada, que representa o terapeuta, com o verdadeiro cliente somente na posição de observador. O cliente, como observador, deve avaliar a relação que está estabelecendo com o terapeuta e os motivos disso.

**Figura 5** – Espelho da relação na defesa contrafóbica

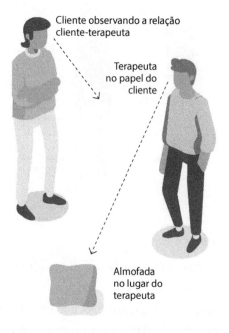

## *Defesa psicopática*

É uma defesa em que o cliente provoca, no outro ou no terapeuta, os sentimentos que ele próprio deveria estar sentindo. Dessa forma, ele fica aparentemente frio, pois os sentimentos foram passados para o outro. O cliente sempre acusa os outros pelas situações conflitadas. Por isso, dizemos que ele é um provocador.

Nesses casos, utilizamos o *espelho que aponta*, em que o cliente fica no papel de observador e o terapeuta fica no papel do cliente falando para uma almofada, que está no lugar do terapeuta. O fundamental é que o terapeuta, ao mesmo tempo que usa o espelho que retira para reproduzir a fala do cliente, vá apontando com o dedo para todos os acusados (pessoas ou situações) aos quais o cliente está se referindo. Esse apontamento

**Figura 6** – Espelho que aponta na defesa psicopática

é feito para outras almofadas, que representam "os responsáveis" pelas situações conflitantes do ponto de vista do cliente. O gesto de apontar o dedo é importante porque, como o cliente não apresenta sentimentos diante dos conteúdos, é no gesto de apontamento que ele consegue identificar a própria conduta de jogar toda a responsabilidade no outro e não assumir nenhuma para si mesmo.

A consigna dada ao cliente é: "Você está dizendo que os outros criam embaraços e situações conflitantes para você. Repetirei sua fala e apontarei para cada um deles, a fim de identificar os responsáveis. Observe se, eventualmente, você pode ter provocado alguma dessas situações". Com base nisso, o terapeuta fará os espelhos até que o cliente comece a assumir alguma responsabilidade pelas situações ocorridas.

## ESTRATÉGIA PSICOTERÁPICA NAS DEFESAS INTRAPSÍQUICAS LIGADAS AO MODELO DE DEFECADOR

### Defesa de atuação

O indivíduo adota atitudes, falas, procedimentos ou expressões que impelem as pessoas ou o ambiente externo a algum tipo de comportamento ou resposta, para que ele possa interpretar como aparentemente esclarecedor para as questões internas que tem, mas não foram formuladas nem comunicadas e encontram-se confusas até para ele mesmo. O cliente provoca no outro uma resposta para as dúvidas e as questões que o estão atormentando, mas não tem ideia nem consciência de suas intenções. Por vezes essa defesa é utilizada na vida e no *setting* terapêutico. Para lidar com ela, é preciso descobrir em que está a intenção do cliente e os temas para os quais ele quer a resposta sem fazer diretamente a pergunta. Dessa maneira, utilizamos o *espelho que retira, o princípio do espelho e o questionamento direto* para identificar os conteúdos e as intenções do cliente envolvidos nas situações; chamamos esse trabalho de *contrato das intenções*. Em seguida, utilizamos a *cena de descarga no espelho (o terapeuta faz a cena de descarga para uma almofada, dentro da técnica do espelho), associada com a técnica do duplo,* para a ou as pessoas envolvidas, declarando em alto e bom som as dúvidas, os questionamentos e as intenções do cliente. O desmonte da

**Figura 7** – Espelho + cena de descarga + duplo na defesa de atuação

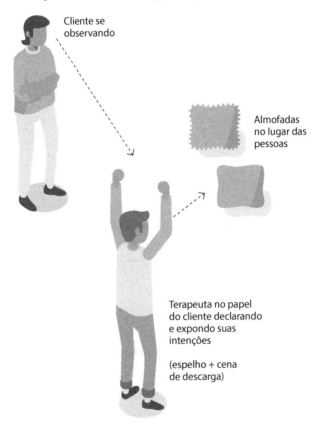

defesa de atuação é a exposição do cliente e o esclarecimento de suas dúvidas diante dos outros e do mundo.

## Defesa de ideias depressivas

Caracteriza-se pelo debate sem fim do cliente consigo mesmo sem que haja conclusão nenhuma. A função desse debate não é esclarecer ou elaborar conteúdos, mas desviar a atenção das verdadeiras questões que estão encobertas e não são devidamente expressas e comunicadas para os outros. Quando a defesa está internalizada, esse debate ocorre no intrapsíquico do cliente; quando está externalizada, ele provoca um debate sem fim com o outro ou com o próprio terapeuta, mas que também não chega a lugar nenhum. Sua verdadeira posição é apenas sugerida, nunca explicitada.

O trabalho de desmonte dessa defesa consiste em identificar a posição sugerida que o cliente está trazendo por meio de técnicas como o *espelho que retira, o princípio do espelho ou com o questionamento direto*. Uma vez identificada, devemos confirmar com o paciente se essa é realmente a posição ou o conteúdo que está sendo sugerido. Chamamos isso de *contratar o conteúdo*. Uma vez que este esteja contratado, o terapeuta deve expô-lo e comunicá-lo a quem de direito, o que deve ser feito por uma *cena de descarga dentro da técnica do espelho e associada à técnica do duplo*.

## Defesa paranoide

Defesa ligada ao modelo de defecador, caracteriza-se por um debate sem fim, que não chega à conclusão nenhuma sobre as atitudes e as intenções do outro. Trata-se de um debate mental cheio de considerações, hipóteses e possíveis intenções do outro, carregado de desconfiança, ameaças e acusações encobertas. Embora seja uma defesa utilizada pelos clientes psicóticos, é também usada pelos neuróticos. Nos neuróticos, é mobilizada quando o conteúdo conflitado (depressão) extrapola a competência da defesa de ideia depressiva, que impede o contato com o Eu por inteiro. Como na defesa de ideia depressiva, o conteúdo a respeito do outro é apenas sugerido. O desmonte da defesa paranoide consiste em pesquisar o conteúdo sugerido por meio do *espelho que retira, princípio do espelho e questionamento direto*. Uma vez contratado o conteúdo, é utilizada a técnica da *cena de*

**Figura 8** – Espelho + cena de descarga + duplo nas defesas de ideias depressivas e nas paranoides

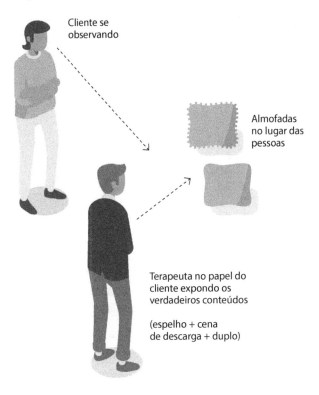

*descarga dentro da técnica do espelho associada à técnica do duplo,* para a(s) pessoa(s) em questão.

## Defesa hipomaníaca

Está ligada ao modelo de defecador, na qual uma série de ideias criativas é sobreposta em uma sequência acelerada e sem uma conclusão. São processos de criação e elaboração semelhantes aos da defesa de ideia depressiva, com o agravante de que veem embalados em um humor exaltado e eufórico. As ideias sobrepõem-se de maneira tão rápida e acelerada que o observador externo ou o terapeuta, às vezes, não consegue observar o debate interno que está ocorrendo. As ideias presentes são, em geral, grandiosas, idealizadas e onipotentes, e negam a realidade externa e interna. A função da defesa hipomaníaca é evitar contato com o material excluído. No seu desmonte, utilizamos o *espelho que retira, feito com a inclusão do humor eufórico e exaltado.*

## ESTRATÉGIA PSICOTERÁPICA NAS DEFESAS LIGADAS AO MODELO DE URINADOR

### Defesa de ideias obsessivas

Defesa mental em que ideias, pensamentos e até imagens instalam-se na mente do indivíduo de forma repetitiva e estereotipada. São pensamentos que não chegam a lugar nenhum, sem controle do cliente e cuja função é ocupar a cabeça e desviar os pensamentos dos reais sentimentos e conteúdos que se encontram excluídos. As ideias obsessivas o atormentam, mas o terapeuta só fica sabendo se ele resolver contar o que se passa em sua mente. Podem ser músicas tocando na cabeça, enumeração de coisas, elaboração de discursos e mensagens, devaneios acerca das mais diversas situações, imaginação de aventuras etc.; por vezes, esse material se transforma em ideias obsedantes com conteúdo trágico, perverso, violentos e antissocial. Esse tipo de defesa deve ser desmontado utilizando a técnica do *espelho que retira*, até que o cliente consiga assumir as vontades, por mais condenáveis que sejam, a arrogância, a prepotência, o desejo de grandeza, a fama e o exibicionismo, as taras, a violência etc. Uma vez identificados e verbalizados

**Figura 9** – Espelho que retira nas defesas obsessivas

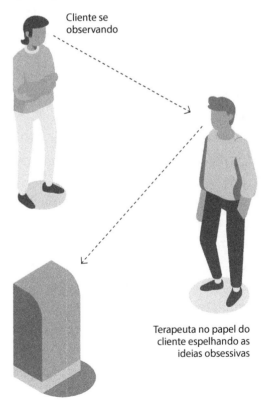

esses conteúdos, consideramos que a defesa de ideia obsessiva foi desmontada.

## *Defesa de rituais compulsivos*

Consiste em uma série de ações e comportamentos ritualizados que, normalmente, estão a serviço de criar uma ilusão de proteção ou de evitar que algo não desejado aconteça. São rituais independentes da vontade do indivíduo que, se não forem realizados, desencadeiam uma carga de angústia patológica, às vezes bastante intensa. Entre eles, podemos destacar os rituais de limpeza, conferência, verificação, organização, gestos, atitudes etc. O terapeuta só toma ciência desses rituais se o cliente informar que eles estão acontecendo. Dificilmente são percebidos no *setting* terapêutico, porque este já é bastante ritualizado pela sua própria configuração. Todos eles estão a serviço de evitar que algo que está na fantasia, ligado a desejos ou medos, ocorra de verdade.

Para desmontar esse tipo de defesa, o terapeuta deve primeiro investigar o conteúdo a ser evitado por meio da técnica do *espelho que retira* ou do *questionamento direto*. Uma vez identificado o desejo ou o medo que antecede e origina o ritual, o terapeuta utiliza a *cena de descarga dentro do espelho associada à técnica do duplo*, de forma que o conteúdo seja assumido pelo cliente e divulgado para quem é de direito ou para o mundo. Por exemplo, um cliente que apresentava um ritual de verificação em relação aos botões do fogão a gás. O ritual era precipitado pelo pensamento de que, se o gás vazasse, poderia incendiar a casa e matar sua mãe. Esse conteúdo – medo de morte da mãe – é o que deverá ser trabalhado na cena de descarga.

**Figura 10** – Espelho que retira + duplo nas defesas de rituais compulsivos

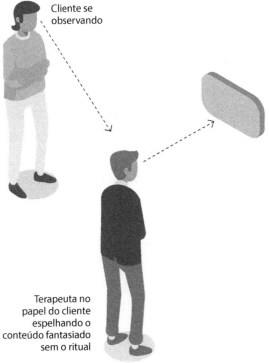

Cliente se observando

Terapeuta no papel do cliente espelhando o conteúdo fantasiado sem o ritual

Quando, apesar da utilização das técnicas correspondentes, as defesas intrapsíquicas não se desmobilizam, é indício de que o cliente *ainda não apresenta parte sadia suficiente para seu desmonte*. Não devemos esquecer que, embora a defesa intrapsíquica seja um bloqueio e dificulte o processo de acesso ao material de segunda zona – portanto, paralisa a psicoterapia –, ela é aquilo de que o psiquismo do cliente necessita para manter o *status quo*. Dessa maneira, constitui um obstáculo para o andamento da psicoterapia, mas uma defesa para a manutenção do *status* do psiquismo do cliente. Assim, este precisa ter um grau de parte sadia para desmontar a defesa e suportar entrar em contato com o material excluído. Nesses casos, o terapeuta deixa de insistir em desmontar a defesa e trabalha outros conteúdos para melhorar o conhecimento do cliente sobre si mesmo, aumentando dessa maneira a parte sadia. Só então surgem as condições necessárias para o desmonte da defesa.

## ESTRATÉGIAS PSICOTERÁPICAS NO DESMONTE DAS DEFESAS INTRAPSÍQUICAS NA PATOLOGIA ESQUIZOIDE

Lembremos que as defesas intrapsíquicas no esquizoide não têm a mesma função das defesas nos quadros neuróticos. Enquanto estas impedem o contato com o material excluído da segunda zona de exclusão, as defesas intrapsíquicas nos quadros esquizoides ajudam no processo de *evitar o contato entre o Eu observador e o Eu operativo durante as relações entre o esquizoide e as outras pessoas.* As principais defesas intrapsíquicas do esquizoide são:

- sistema de personagens;
- mecanismo de robotização;
- mecanismo de petrificação ou coisificação.

Recordemos que o esquizoide tem um mecanismo de cisão em sua estrutura de personalidade, no qual existem um Eu observador (que não entra em contato interpessoal) e um Eu operativo (que entra em contato interpessoal). As defesas intrapsíquicas de *sistema de personagens, robotização e petrificação/coisificação são eminentemente mentais e estão localizadas no Eu observador.*

A função das defesas esquizoides é colocar uma barreira entre o Eu observador e o Eu operativo, de modo a impedir o *contato fusional* durante as interações interpessoais e, assim, *impedir a mobilização das angústias de absorção, implosão e fragmentação do Eu* do cliente esquizoide.

Lembremos que o *contato fusional* ocorre quando o Eu observador e o Eu operativo se juntam durante uma relação interpessoal. No contato fusional, o Eu do cliente se mistura com a interação pessoal, causando as angústias anuladoras do Eu: absorção, implosão e fragmentação.[3]

No Eu operativo, as defesas intrapsíquicas são as mesmas já relatadas e estão ligadas a modelos e área mal delimitados.

**Figura 11** – Defesas esquizoides

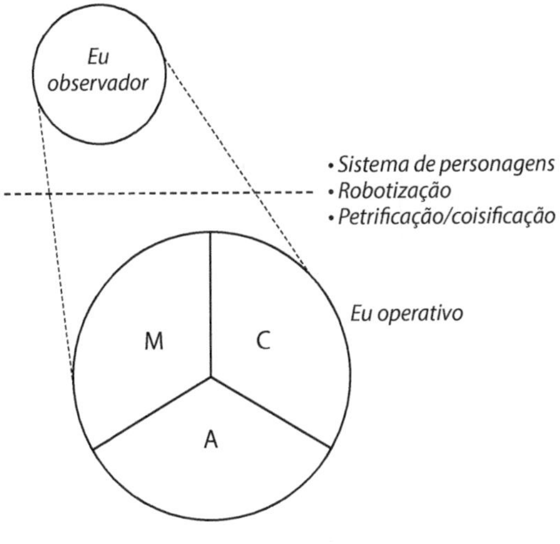

## Defesa do sistema de personagens

Nela, o cliente passa a se relacionar utilizando traços de um personagem real, fictício ou imaginado, de modo que seja mantida e protegida a cisão entre o Eu observador e o Eu

---

[3] Ver *Psicopatologia e psicodinâmica na análise psicodramática, volume II* (2008).

operativo durante a relação interpessoal. É sempre uma situação de superaquecimento, e a abordagem consiste em uma técnica de desaquecimento: o *espelho que retira*. O acionamento da defesa esquizoide ocorre quando o Eu operativo não é suficiente para manter nem proteger a cisão e existe uma ameaça de se fundir com o Eu observador em uma relação interpessoal. A utilização do *espelho que retira* restabelece a cisão ao mesmo tempo que faz que o Eu observador e o próprio cliente tomem contato com seus personagens.

**Figura 12** – Espelho que retira no sistema de personagens

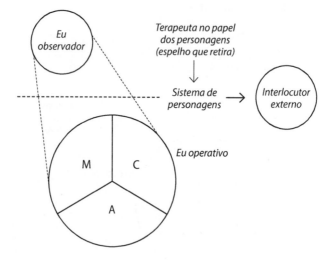

## Defesa de robotização

Defesa de superaquecimento em que o Eu observador passa a controlar e irradiar mentalmente todas as atitudes, expressões e atos do Eu operativo, o qual fica regido mentalmente pelo Eu observador. Dessa forma, a cisão entre o Eu observador e o Eu operativo continua mantida. O desmonte dessa defesa mental é a utilização, *a partir do relato do cliente sobre seus comandos mentais, do espelho que retira e a narração dos comandos mentais e o gestual robotizado correspondente* para desaquecer a situação e o Eu observador recuperar o controle.

**Figura 13** – Espelho que retira na defesa de robotização

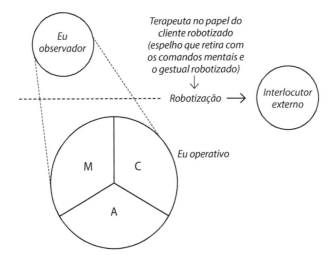

## Defesa de petrificação ou de coisificação

É também uma defesa mental em que o Eu observador fantasia que seus interlocutores são feitos de pedra ou de outros elementos não humanos (palha, areia, aço, plástico, metal etc.). Com isso, o Eu observador cria uma modificação mental fantasiosa em relação às pessoas, transformando-as, em sua fantasia, em robôs, bonecos, estátuas e seres inanimados. Dessa maneira, a cisão fica mantida, o Eu operativo continua funcionando e o contato fusional é evitado. É também uma defesa de superaquecimento e deve ser trabalhada com o *espelho que retira narrando as fantasias de petrificação e coisificação feitas pelo cliente.*

**Figura 14** – Espelho que retira nas defesas de petrificação/coisificação

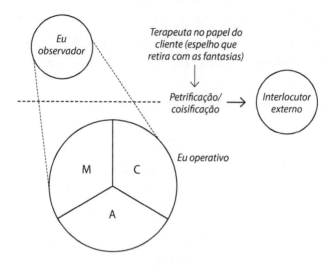

Embora a *cisão do esquizoide* funcione como um estado estrutural, ela também pode ser considerada um mecanismo de defesa no contato interpessoal. No *setting* terapêutico, notamos a presença da cisão quando o discurso do cliente é *um relato sobre si mesmo*. Tal relato é feito pelo Eu operativo, ficando o Eu observador totalmente inacessível para o terapeuta. O desmonte da cisão do esquizoide corresponde à integração entre o Eu observador e o Eu operativo, sem que isso demande um processo de relação fusional. Esse trabalho é feito de modo a informar o cliente a respeito da sensação de "não pertencer", que o acompanha desde a vivência intrauterina e que é a causa inicial da dinâmica esquizoide. Pesquisando um pouco mais as causas e consequências da rejeição ou indiferença materna, podemos chegar à origem desse quadro. Nesses casos, para acessar o Eu observador, trabalhamos com o *espelho desdobrado junto com a cena de descarga na relação com o terapeuta e deixamos o cliente no papel de observador.*

Nesse tipo de trabalho, o terapeuta assume o papel do cliente e fala sobre ele. Cliente e terapeuta devem, cada um, ser representados por uma almofada, uma em direção à outra. Dessa forma, o profissional assume o papel do Eu operativo do cliente falando ao terapeuta (almofada) sobre o próprio cliente (almofada). O Eu observador, nesses casos, fica apenas observando, sendo passível de ser interrogado a respeito de opiniões e sentimentos sobre si mesmo.

**Figura 15** – Tratamento da cisão do esquizoide

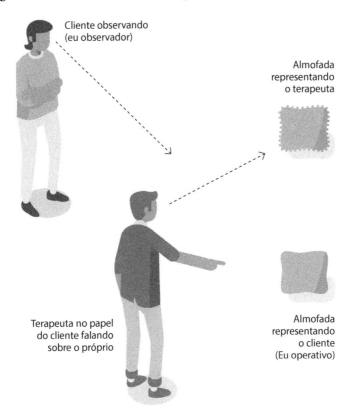

# 9. A reformulação psicológica do pré-natal e a prevenção da depressão pós-parto

*Victor R. C. S. Dias*

Este capítulo traz uma proposta nova da análise psicodramática para uma série de condutas psicológicas a ser adotadas durante a fase do pré-natal das gestantes e dos seus parceiros com o objetivo de prevenir os quadros de depressão pós-parto. Esse trabalho pode ser feito por psicoterapeutas (médicos ou psicólogos), obstetras, enfermeiras, doulas que tenham alguma formação como terapeutas e, até mesmo, equipes multidisciplinares.

Na análise psicodramática, chamamos esse processo inteiro de *crise da maternidade e da paternidade*, que abrange três esferas psíquicas:

- *A esfera intrapsíquica* – Os modelos internalizados, tanto das figuras maternas (mãe, avó ou substitutas de mãe) como das paternas (pai, avô ou substitutos de pai), são responsáveis pela formulação interna do papel de mãe e do de pai. Eles são acionados e fazem parte da construção desses papéis. Se forem modelos internalizados severamente conflitados, podem prejudicar ou até impedir a estruturação e ativação desses papéis, desencadeando uma depressão pós-parto.

- *A esfera relacional conjugal* – Responsável pelo relacionamento do casal em relação às posturas de mulher e homem durante os primeiros dois anos da criança.
- *A esfera familiar* – Responsável pela relação do casal com o filho e as respectivas famílias de origem.

Na análise psicodramática, entendemos a depressão pós-parto de uma forma diferente do seu diagnóstico psiquiátrico clínico sintomático. *Consideramo-la, na mulher, uma depressão psicodinâmica originada de sua má resolução com as figuras de mundo interno que tiveram influência materna na infância (mãe, avós, madrastas e substitutas de mãe) e, no homem, da má resolução com as figuras de mundo interno que tiveram influência paterna na infância (pai, avôs, padrastos e substitutos de pai).* Essas figuras de mundo interno são os modelos internalizados na primeira infância com as figuras parentais e estão registradas na esfera intrapsíquica, portanto no seu mundo interno.

Se essas relações foram muito conflitadas, elas podem interferir, negativamente, na formulação do "papel de mãe" na mulher e no "papel de pai" no homem, gerando essa depressão psicodinâmica. Se essa interferência negativa for muito relevante, a mulher pode não conseguir assumir o papel de mãe, e o homem, o de pai.

A depressão pós-parto na mulher se manifesta logo após o nascimento da criança ou nos primeiros meses do pós-parto. No homem, ela se manifesta bem depois, quando a criança começa a interagir com ele (a partir dos 9 ou 10 meses).

Essa preparação dos papéis de mãe e de pai ocorre na esfera intrapsíquica (mundo interno), sendo, na maioria das vezes, pouco consciente ou até inconsciente. Isso faz que tanto a mulher quanto o homem não percebam que esse processo está acontecendo. É somente no pós-parto que vivenciam a angústia, a depressão, a dificuldade ou a impossibilidade de se relacionar com o bebê, apesar de racionalmente quererem essa relação. Esse processo todo fica ligado a *conflitos no mundo interno de cada um (mulher e homem), gerando angústia patológica.*

Na esfera conjugal, vamos encontrar, com certa frequência, uma crise do casal. A maioria dos casais mais jovens tem um relacionamento conjugal baseado em um regime de igualdade. Nos casamentos mais convencionais, o homem exerce a função de provedor e a mulher, a de responsável pela casa e pelos filhos, já que frequentemente não trabalhava fora ou, quando o fazia, o dinheiro era somente para os gastos pessoais.

Nos casais mais jovens ou nos casamentos mais modernos, geralmente a mulher trabalha e tem ganhos financeiros significativos, compondo a renda familiar. Desse modo, homem e mulher exercem o papel de provedores, e os afazeres domésticos são frequentemente repartidos entre eles.

Quando nasce o bebê, e nos seus primeiros seis meses de vida, a solicitação maior fica por conta da mãe, enquanto o pai faz um papel auxiliar. Embora essa solicitação seja forte nos primeiros seis meses, ela ainda é muito maior na mãe até mais ou menos os 2 anos de idade. Durante esse período, o casamento adquire uma configuração semelhante aos convencionais, com o homem assumindo o papel de provedor e a mulher, o cuidado com o(os) filho(s) e os afazeres domésticos, mesmo tendo reassumido suas tarefas profissionais após a licença-maternidade.

Nessa nova configuração, a mulher se sente frequentemente sobrecarregada ao exercer as duas funções (mãe e profissional) e também lesada no seu aspecto profissional. É uma fase na qual sua carreira evolui mais lentamente, podendo ocorrer perda de promoções, menos disponibilidade para determinadas funções (sobretudo as que demandam viagens ou atividades distantes do lar), diminuição dos ganhos conforme a profissão ou, às vezes, pausa no trabalho. Isso é motivo de frustração para a mulher e, muitas vezes, ela se sente injustiçada.

No caso do homem, ocorre o inverso. A atividade profissional não sofre alteração no sentido de perda; ao contrário, ele passa a ser mais cobrado por ser o provedor principal, responsabilizar-se por uma série de gastos extras e, muitas vezes, tornar-se o único mantenedor da família. Por vezes, essa sobrecarga profissional gera uma revolta pelo acréscimo dessa responsabilidade, além de ele ter de auxiliar, em maior ou menor grau, nos afazeres domésticos.

Em resumo, um casal que estava estruturado com as funções de provedor e de afazeres domésticos compartilhadas passa a sofrer um desequilíbrio. Ambos recaem em um padrão próximo ao de casamentos convencionais, mas sem estar preparados para isso.

Essa carga de frustração, revolta e sensação de injustiça, por motivos diferentes, acaba sendo descarregada no parceiro ou na parceira, gerando a perda de harmonia entre o casal. Essa perda, às vezes, origina relações de hostilidade, acusações e cobranças – e, em casos extremados, a separação. Um casal que durante o período pré-natal tenha sido alertado e conseguido elaborar conjuntamente essa situação futura, estabelecendo acordos dessa nova divisão de funções, tende a ultrapassar essa fase com mais tranquilidade.

Na esfera familiar, potencialmente há outra situação que pode evoluir para uma turbulência no casal com o filho bebê, decorrente da relação com as famílias de origem do homem, da mulher ou de ambos.

Em casamentos mais convencionais, a relação constante com as famílias de origem era frequente, convencionando-se almoçar nos fins de semana sempre na casa dos pais de um dos parceiros. Esse comportamento dificultava a formação da *nova família nuclear*, constituída de pai, mãe e filho(s), e permitia a interferência das famílias de origem na criação da criança e na própria dinâmica do casal, dificultando sua autonomia e a da nova família que estava se formando.

Tal interferência causava brigas e desarmonia entre o próprio casal ou entre o casal e seus filhos. O casal, quando na convivência constante com a família de origem, volta à condição de filho ou filha.

Nos casamentos mais modernos e atuais, o casal tende a ter uma vida mais separada e autônoma em relação às famílias de origem. Entretanto, quando nasce um bebê, há a tendência – às vezes por maior comodidade – de voltar ao padrão antigo e começar a conviver demasiadamente com elas, gerando os mesmos tipos de interferência, perda de autonomia e desarmonia no casal, além de dificultar a formação do núcleo familiar da nova família.

É desejável que o casal jovem mantenha a autonomia, construindo, estruturando e reforçando o núcleo familiar. Quando estão sozinhos com o filho, eles são sempre pais. Assim, o convívio com as famílias de origem deve ser dosado para diminuir a interferência e evitar a perda de autonomia. Essa atitude cria mecanismos para que o casal não se torne dependente das famílias de origem e haja uma convivência harmônica com elas.

## A PROPOSTA DA ANÁLISE PSICODRAMÁTICA EM RELAÇÃO AO PRÉ-NATAL

Considerando esses três elementos da crise da maternidade e da paternidade, sugerimos, sobretudo aos obstetras, que incorporem, no acompanhamento do pré-natal, um processo de *psicoterapia focal* orientado para:

1. *Identificar, avaliar e tratar* os modelos internalizados de mãe para as mulheres e dos de pai para os homens – psicoterapia focal. Deve ser feito um clareamento da importância desses modelos internalizados e uma pesquisa ativa das relações que tiveram com eles. Na medida em que surjam conflitos, eles devem ser abordados e tratados para prevenir uma crise de depressão pós-parto. Esse trabalho pode ser feito pelo próprio obstetra, se este tiver algum conhecimento de psicoterapia, ou por uma equipe multidisciplinar na qual exista um psicólogo psicoterapeuta. É um trabalho focado na esfera intrapsíquica e no mundo interno do cliente.

2. *Esclarecer, antecipar e estabelecer acordos para o casal* diante das prováveis frustrações oriundas das condições de prejuízo profissional para as mulheres e de aumento da participação como provedor para os homens. Esse aspecto pode ser trabalhado individualmente, em psicoterapia do casal ou de forma grupal, utilizando palestras e entrevistas. O importante é que o casal tome conhecimento antecipado das possíveis frustrações e não descarregue no parceiro as mágoas e a sensação de injustiça. Se forem feitos acordos preventivos, é mais fácil lidar com essas situações futuras.

3. *Clarear a necessidade de consolidação da essência da família nuclear*, o que implica o casal passar um tempo maior com o bebê e atender, na medida do possível, às demandas das famílias de origem em relação ao neto sem, contudo, permitir muita interferência. Só o contato do casal com o bebê possibilita a consolidação do papel de pai e mãe. Esse trabalho deve ser feito por meio de palestras e atendimento do casal, para que ele consiga traçar uma estratégia consensual que atenda a todas essas demandas.

Essas orientações valem também para o terapeuta que atende um dos parceiros, tanto no sentido de mobilizar ativamente os modelos internalizados como no de alertar para as dinâmicas conjugais e com relação às famílias de origem.

## *Manejo técnico*

No trabalho focal dos modelos internalizados, é possível utilizar a pesquisa intrapsíquica, as técnicas de espelho e as cenas de descarga.

No trabalho da dinâmica conjugal, podem-se utilizar técnicas de terapia de casal, como a tribuna livre, e clareamentos, além de ativamente procurar acordos consensuais.

Em trabalhos em grupo de casais, a técnica de escolha é sempre uma palestra sobre o tema, seguida de tribuna livre entre os participantes e uma síntese feita pelo terapeuta.

# *Referências bibliográficas*

ABRAMSON, R. "Psychotherapy of psychoses: some principles for practice in the real world". *Journal of the American Academy of Psychoanalysis and Dynamic Psychiatry*, v. 38, n. 3, 2010, p. 483-502.

BARBOSA, R. *Oração aos moços*. Rio de Janeiro: Edições Casa de Rui Barbosa, 1999. Disponível em: <http://www.casaruibarbosa.gov.br/dados/DOC/artigos/rui_barbosa/FCRB_RuiBarbosa_Oracao_aos_mocos.pdf>. Acesso em: 18 mar. 2021.

BATESON, G. *et al.* "Toward a theory of schizophrenia". *Behavioral Science*, v. 1, n. 4, 1956, p. 251-54.

DIAS, V. R. C. S. *Psicodrama: teoria e prática*. São Paulo: Ágora, 1987.

_____. *Psicopatologia e psicodinâmica na análise psicodramática, volume I*. São Paulo: Ágora, 2006.

DIAS, V. R. C. *et al. Psicopatologia e psicodinâmica na análise psicodramática, volume III*. São Paulo: Ágora, 2010.

_____. *Psicopatologia e psicodinâmica na análise psicodramática, volume IV*. São Paulo: Ágora, 2012.

DIAS, V. R. C.; DIAS, G. A. A. S. *Psicopatologia e psicodinâmica na análise psicodramática, volume VI*. São Paulo: Ágora, 2018.

DIAS, V. R. C.; SILVA, V. A. *Psicopatologia e psicodinâmica na análise psicodramática, volume II*. São Paulo: Ágora, 2008.

_____. *Psicopatologia e psicodinâmica na análise psicodramática, volume V.* São Paulo: Ágora, 2016.

GÓES, J. *A inveja nossa de cada dia: como lidar com ela*. São Paulo: Topbooks, 2001.

JASPERS, K. *A questão da culpa*. São Paulo: Todavia, 2018.

McGLASHAN, T. H.; HOFFMAN, R. E. "Schizophrenia: psychodynamic to neurodynamic theories". In: SADOCK, B. J.; SADOCK, V. A.; RUIZ, P. *Kaplan & Sadock's comprehensive textbook of psychiatry*. 7. ed. Filadélfia: Lippincott Williams & Wilkins, 2000.

MUESER, K. T.; McGURK S. R. "Schizophrenia". *Lancet*, v. 363, 2004, p. 2063-72.

SILVA, C. A. "As técnicas de espelho na análise psicodramática". In: DIAS, V. R. C. S. *Psicopatologia e psicodinâmica na análise psicodramática, volume III*. São Paulo: Ágora, 2010.

WATZLAWICK, P.; BEAVIN, J. H.; JACKSON, D. D. *Pragmática da comunicação humana – Um estudo dos padrões, patologias e paradoxos da comunicação*. São Paulo: Cultrix, 1973.

# Os autores

VICTOR ROBERTO CIACCO DA SILVA DIAS é formado em Medicina pela Faculdade de Medicina da Universidade de São Paulo (FMUSP) e em Psicodrama pela Associação Brasileira de Psicodrama e Sociodrama (ABPS), em São Paulo. Fundou e coordena a Escola Paulista de Psicodrama e Análise Psicodramática (EPP). É o criador da análise psicodramática e da teoria de programação cenestésica. Tem os seguintes livros publicados pela Ágora e Summus Editorial: *Psicodrama: teoria e prática*; *Análise psicodramática e teoria da programação cenestésica*; *Vínculo conjugal na análise psicodramática: diagnóstico estrutural dos casamentos*; *Sonhos e psicodrama interno na análise psicodramática*; *Sonhos e símbolos na análise psicodramática: glossário de símbolos* (primeira e segunda edições); *Psicopatologia e psicodinâmica na análise psicodramática* (volumes I a VII).

Exerce função didática e de coordenação na EPP e trabalha em clínica particular como terapeuta.

Virgínia de Araújo Silva é formada em Psicologia pela Universidade Estadual de Londrina (UEL), no Paraná. Especializou-se em Psicodrama no Instituto Sedes Sapientiae, em São Paulo, e em Análise Psicodramática na Escola Paulista de Psicodrama e Análise Psicodramática (EPP). É titulada como supervisora didata em psicodrama pela Federação Brasileira de Psicodrama (Febrap). Exerce atividade clínica em consultório particular e atividade didática como professora e supervisora na EPP.

É coautora de *Psicopatologia e psicodinâmica na análise psicodramática, volumes II, V e VII*, publicados pela Ágora.

Milene Shimabuko Silva Berto é formada em Psicologia pelo Centro Universitário das Faculdades Metropolitanas Unidas (FMU), com especialização em Análise Psicodramática pela Escola Paulista de Psicodrama e Análise Psicodramática (EPP). É professora da cadeira de Psicodrama Infantil da EPP. É coautora de *O psicólogo no hospital público: tecendo a clínica*, organizado por Eva Wongtschowsi (Zagadoni, 2011), e de *Psicopatologia e psicodinâmica na análise psicodramática, volume VII* (Ágora, 2020). Trabalha como psicoterapeuta em consultório privado.

Katia Pareja é formada em Psicologia pela Universidade São Marcos, com especialização em Psicanálise Winnicottiana pela Pontifícia Universidade Católica da São Paulo (PUC-SP). Formada em Análise Psicodramática pela Escola Paulista de Psicodrama e Análise Psicodramática (EPP), atua como psicóloga clínica e psicóloga infantil em consultório privado. Coautora do livro *Psicopatologia e psicodinâmica na análise psicodramática, volume VII* (Ágora, 2020).

ELZA MARIA MEDEIROS CARNEIRO DA SILVA é formada em Psicologia pela Pontifícia Universidade Católica de Campinas (PUC-Campinas). É formada em Psicodrama e especializada em Análise Psicodramática pela Escola Paulista de Psicodrama e Análise Psicodramática (EPP). É também especializada em Psicossomática pelo Grupo de Estudos em Psicossomática – Somatodrama. Exerce atividade didática na EPP e trabalha como terapeuta em clínica privada. Coautora do livro *Psicopatologia e psicodinâmica na análise psicodramática, volume III* (Ágora, 2010).

CECÍLIA ATTUX é formada em Medicina pela Universidade Federal de Goiás (UFG). É psiquiatra pela Universidade Federal de São Paulo (Unifesp) e mestre e doutora em Ciências da Saúde pela mesma instituição. Especializada em Psicodrama pela Escola Paulista de Psicodrama e Análise Psicodramática (EPP), atende em consultório privado como psiquiatra e psicoterapeuta.